Elio D'Anna

Manual
Escola dos Deuses

as Falas do Dreamer

tradução Graça Congro
compilação Júlia Bárány

Título original: La Scuola degli Dei
Copyright © Elio D'Anna.
Publicado de acordo com a
UR Music - European School of Economics - Itália
Todos os direitos reservados. Nenhuma parte deste livro poderá ser reproduzida, de forma alguma, sem a permissão escrita do Autor, exceto as citações incorporadas em artigos de crítica ou resenhas.
Diretora Editorial: Júlia Bárány
Preparação de texto e revisão: Barany Editora
Diagramação: Barany Editora
Capa: Emília Albano
Imagem da Capa: Wainer Vaccari

Dados Internacionais de Catalogação na Publicação (CIP)
(Câmara Brasileira do Livro, SP, Brasil)

D'Anna, Elio
  Manual da Escola dos Deuses - as falas do Dreamer / Elio D'Anna ; tradução de Graça Congro; compilação Julia Barany. -- 1. ed.. -- São Paulo : Barany Editora, 2013.

  Título original: La scuola degli dei.

  1. D'Anna, Elio 2. Empreendedores - Itália - Biografia I. Barany, Julia. II. Título.

  13-03203   CDD-338.04092

  Índices para catálogo sistemático:
  1. Empreendedores : Biografia 338.04092

Todos os direitos desta edição são reservados
à Barany Editora © 2012
São Paulo - SP - Brasil   contato@baranyeditora.com.br
                                 www.baranyeditora.com.br

Livro para ser Livre

Este livro é para sempre!

Ao Dreamer que se encontra em cada ser,

que impulsiona meu sonho

a alturas além do meu intelecto

e a profundezas além das minhas emoções,

que me chama e me comanda

a me tornar livre

Sumário

Este livro	5
1. O encontro com o Dreamer	9
2. Lupelius	37
3. O corpo	75
4. A lei do Antagonista	107
5. Adeus, Nova York	139
6. Na cidade do Kuwait	171
7. O regresso à Itália	209
8. Em Xangai com o Dreamer	235
9. O jogo	277
10. A Escola	325

Este Livro

Este livro é um mapa, um plano de fuga

A felicidade, a riqueza, o conhecimento, a vontade, o amor não podem ser adquiridos fora, não podem ser 'dados', mas somente... 'recordados'! São bens inalienáveis do ser e, por isso, patrimônio natural de todo ser humano.

Aquilo que já 'compreendemos', e realmente possuímos, não se pode transferir.

...Pode-se ensinar somente se não se sabe....
Quem realmente sabe, não ensina!
Nenhuma política, religião ou sistema filosófico pode transformar a sociedade. Somente

uma revolução individual, um renascimento psicológico, um restabelecimento do ser, de cada ser humano, célula por célula, poderá conduzir a um bem-estar planetário, a uma civilização mais inteligente, mais verdadeira, mais feliz.

O não-ensinamento do Dreamer

Nessas páginas você encontrará uma coleção de frases selecionadas do romance best-seller *A Escola dos Deuses*, de Elio D'Anna. Esse primeiro romance de Elio, A Escola dos Deuses, retrata a luta de um homem comum, a epítome de uma humanidade degradada e derrotada, em sua luta para voltar à essência. As frases contidas neste livro são as mensagens que lhe chegaram por meio de um ser extraordinário, o Dreamer (Sonhador).

Este é um não-livro. O Dreamer não tenta instruir o protagonista de A Escola dos Deuses, mas somente acordá-lo, intervindo

ESTE LIVRO

enfaticamente com intuição e sabedoria, oferecendo-lhe uma visão superior da existência quando ele está mais preparado para aceitá-la. Este 'não-ensinamento' do Dreamer nos leva pela mão ao mundo do 'sonho', ao mundo da coragem e da integridade, onde tempo e morte não existem e onde a riqueza não conhece nem "ladrão nem putrefação".

A direção indicada a nós pelo Dreamer é terrível e maravilhosa, impiedosa e alegre, absurda e necessária, como a viagem feita pelo salmão que volta às suas origens, lutando correnteza acima.

O leitor logo descobre que, não importa onde estiver, em que situação estiver, qualquer página que escolher ao acaso lhe falará naquele momento com profunda exatidão. Aparentemente você percorre as palavras desse livrinho, mas na realidade você as está projetando a cada virar de página. Assim como faz a vida, o não-ensinamento do

Dreamer reflete você – é um espelho no qual você projeta não só sua própria imagem, mas também a solução de todos os seus problemas.

Embora as palavras do Dreamer estejam disponíveis em forma de livro em todas as línguas, o conhecimento silencioso que subjaz esse não-ensinamento está além do poder da palavra escrita. Os princípios e as ideias do Dreamer devem se tornar experiência prática e verdadeiro poder do fazer. Você deve carregar seu ser além do reino do falar e do pensar, para o reino da ação. Você não deve se permitir aprisionar pela falsa clareza de um exercício racional.

Elio D'Anna

(NO FINAL DE CADA CAPÍTULO, PÁGINAS CRIADAS PARA AS SUAS REFLEXÕES)

1
O encontro com o Dreamer

Observe-se. Descubra quem você é!

O seu estado é desastroso! Posso sentir isso pelo modo como entrou, por seus passos e, sobretudo, pelo mau cheiro das suas emoções. Você é uma multidão, uma turba de pensamentos. Aonde vai nesse estado? Com que dificuldade você deve conseguir viver essa sua existência de subalterno!

Como você se permite dizer 'Eu'?
No meu mundo, dizer 'Eu' é uma blasfêmia.
'Eu' é a divisão que você carrega dentro de si... 'eu' é a sua multidão de mentiras... Cada vez que você declara um desses seus 'pequenos eus', você está mentindo. Pode dizer 'Eu'

somente quem conhece a si mesmo, é dono da própria vida... quem possui uma vontade. Não pronuncie nunca mais 'eu', ou então aqui você não poderá mais voltar!

Observe-se... Descubra quem você é!
Ser uma multidão significa ficar preso a um sistema irreal, inescapável, um sistema autocriado de falsas crenças e mentiras. A falta de unidade deixa o ser humano na prisão da ignorância, do medo e da autodestruição, e causa doença, degradação, violência, crueldade e guerras no mundo externo.

O mundo é como você o sonha... é um espelho. Fora você encontra o seu mundo, o mundo que você construiu, que você sonhou. Fora você encontra você! Vá ver quem você é. Descobrirá que os outros são a imagem refletida da mentira que você carrega, da penhora moral, da sua ignorância... Mude!... E o mundo mudará.

Você cria um mundo doente e depois tem medo da sua própria criatura, da violência que você mesmo gerou. Acredita que o mundo seja objetivo... mas o mundo é como você o sonha. Vá pelo mundo e aceite... Encontre os pobres, os violentos, os leprosos que você carrega. Aceite-os... Não os evite, não os acuse... Renda-se ao seu mundo. Vá e aceite conscientemente aquilo que você criou, um mundo rígido, ignorante... sem vida.

O poder de um homem encontra-se em possuir a si mesmo e, ao mesmo tempo, em render-se a si mesmo.

Na minha presença... papel e caneta!
Não se esqueça disso!
Desta vez terá de escrever.
Papel e caneta serão a sua única salvação.
Escrever Minhas palavras é o único modo de você não esquecer...
Escreva! Somente assim poderá reunir os pedaços dispersos da sua existência.

Um executivo é um empregado, um subalterno que se esforça em acreditar naquilo que faz; impõe uma crença... é o sacerdote de um culto que, por mais medíocre que seja, dá a ele uma competência, a sensação de ter uma direção. Mas você não tem nem mesmo isso! Pensamentos, sensações e desejos, sem a presença da vontade, são fragmentos insensatos dentro do ser, e você é um fragmento à deriva no Universo...

Nas tribos indígenas da América havia uma casta dos últimos representantes: homens que não eram nem xamãs nem guerreiros, não caçavam, não competiam nem pela própria posição nem pelas mulheres. A eles eram destinados os trabalhos mais pesados e fatigantes. Eram aqueles que retrocediam diante das provas de coragem, de incorruptibilidade. Em qualquer tribo, primitiva ou moderna, você seria colocado ali, naquele ponto da escala.

Eu sei, você gostaria de sair do Sonho. Mas eu sou a realidade. A sua vida, o mundo que você acredita poder escolher e decidir são irreais... são um horrível pesadelo. Casar-se, ter filhos, fazer carreira, ter uma casa, ser estimado e reconhecido pelos outros... e mais tudo aquilo em que você sempre acreditou são fetiches sem sentido que você idolatrou e colocou à frente de tudo.

Somente o Sonho é real. O Sonho é a coisa mais real que existe. Aprenda a se movimentar no mundo do real. Aqui os hábitos e as convicções, os velhos códigos, não têm valor... Aquilo que você chama realidade é só aparência, algo completamente distorcido, e no velho não existe nada que você possa aproveitar... Você deverá aprender um novo modo de pensar, de respirar, de agir e de amar.

Você tem vivido uma existência sem finalidade... dolorosa. Escondido atrás de um emprego, atrás da proteção ilusória de um salário, você está perpetuando a pobreza, o sofrimento do mundo. A vida é muito preciosa para depender e é muito rica para perder!

É hora de mudar!

É tempo de abandonar a sua visão conflituosa de mundo. É tempo de morrer para tudo aquilo que não tem vida. É tempo de um renascimento. É tempo de um novo êxodo, de uma nova liberdade. É a maior aventura que um homem pode imaginar: a reconquista da própria integridade.

Visibilia ex Invisibilibus

O trabalho é escravidão

Eu sou o Dreamer.

Eu sou o Sonhador, e você, o sonhado.

Você chegou a Mim por um instante de sinceridade.

Eu sou a liberdade! Depois de ter Me encontrado, você não poderá mais viver uma existência tão insignificante.

Depender é sempre uma escolha pessoal, ainda que involuntária. Nada nem ninguém pode obrigá-lo a depender; somente você pode fazê-lo. Depender não é efeito de um contrato, não é ligado a um cargo, nem nasce do fato de se pertencer a uma determinada classe social... Depender é a consequência da perda da própria dignidade. É o resultado de um esmagamento do Ser. Essa condição interior, essa degradação, assume no mundo a forma de um emprego, assume o aspecto de uma posição de subordinação. Depender é o efeito de uma mente tornada escrava por apreensões imaginárias, pelo próprio medo... A dependência é o efeito visível da capitulação do 'sonho'. A dependência é uma doença do Ser!... Nasce da sua própria incompletude. Depender significa deixar de acreditar em si mesmo. Depender significa deixar de sonhar.

Como milhões de homens, você sempre viveu escondido nos cantos das organizações sem vida, você negociou a sua liberdade por um punhado de ilusórias certezas. É tempo de sair do seu sono hipnótico, da sua visão infernal da existência!

O mundo está parado porque existem seres humanos dependentes, seres humanos extremamente assustados. A humanidade, assim como é, não pode, não consegue conceber uma sociedade livre da dependência.

Não tema! Enquanto houver homens como você, o mundo da dependência existirá sempre e continuará a ser densamente habitado.

Você!... não poderá mais fazer parte dele... Porque você encontrou a Mim!

A dependência é a negação do sonho. A dependência é a máscara que os homens vestem para esconder a ausência de liberdade, a renúncia à vida. Um dia, uma sociedade que sonha não trabalhará mais. Uma humanidade que ama será suficientemente rica para sonhar, e infinitamente rica porque sonha.

O Universo é totalmente abundante, é uma cornucópia transbordante de tudo o que o coração de um ser humano pode desejar... Em um Universo assim é impossível temer a privação. Somente homens como você, burlados pelo medo e pela dúvida, podem ser pobres e perpetuar a dependência e a miséria no mundo.

Pobreza significa não ver os próprios limites... Ser pobre significa ter cedido os próprios direitos de artífice em troca de um trabalho que não ama, que não foi escolhido por você. Você! é o mais pobre dentre os pobres, porque, além do mais, não sabe quem você é... Você esqueceu! A ninguém mais dei tanta oportunidade. Esta é a última vez.

Abra os olhos sobre sua condição e saberá quanto o ser humano se distanciou de sua realeza. Aparentemente, estamos aqui no mesmo cômodo; porém, separam-nos éons infinitos de tempo.

Agora, acorde! Faça a sua revolução... Insurja-se contra si próprio!

Sonhe a liberdade... A liberdade de todas as limitações. Você é o único obstáculo a tudo o que possa desejar. Sonhe... Sonhe... Sonhe sem descanso! O sonho é a coisa mais real que pode existir.

Uma espécie em extinção

Ninguém pode jamais prevalecer sobre os outros!

A ideia de prevalecer sobre os outros é uma ilusão... um preconceito da velha humanidade conflituosa, predatória... perdedora. Você é o símbolo dessa espécie em extinção, uma espécie que está dando lugar a um Ser mais evoluído. Aquilo que você sente com aspecto de morte é a asfixia de uma humanidade que está trocando a pele, de uma espécie à beira do abismo, obrigada a abandonar as suas superstições, os seus truques que já não funcionam mais.

Os seres humanos, desde os primeiros anos, são educados para viver na zona mais desolada do Ser... Colocados diante de uma ideia grandiosa, ou de qualquer coisa que exorbite os limites da visão que têm, rejeitam-na e tentam diminuí-la a fim de ajustá-la ao minúsculo continente das próprias consciências.

É hora de você enfrentar a viagem.

Diante do teste da vida, até agora você não encontrou nada melhor do que se abarrotar de trabalho ou procurar refúgio no sexo, no sono ou em qualquer leito de hospital.

Curvar-se sob o peso de situações desagradáveis, de desgraças, e encará-las com tanta seriedade significa reforçar a funesta descrição do mundo, perpetuar os seus eventos. Se um homem muda de atitude em relação àquilo que lhe acontece, no decorrer do tempo isso modificará a própria natureza dos eventos que encontra.

Nosso ser cria a nossa vida

Sou uma mulher doente de câncer que o amaldiçoa pelo seu abandono, por sua incapacidade de suportar uma morte anunciada... Esta é a 'sua' morte, a morte de tudo aquilo que você foi, a morte do ranço que você carrega... Não fuja... Enfrente-a de uma vez por todas! Um homem para 'renascer' deve primeiro 'morrer'. Morrer significa reverter completamente a própria visão. Significa desaparecer de um mundo grosseiro, governado pelo sofrimento, para então reaparecer em um nível de ordem superior.

A morte da sua mulher é a materialização, a representação dramática do canto de dor que você sempre carregou dentro de si. Estados e eventos são duas faces de uma única realidade.

O despertar

Visibilia ex Invisibilibus:
Tudo o que vemos e tocamos, tudo que é visível nasce do invisível.

Mudar o passado

A primeira regra para enfrentar o deserto é viajar com menos carga. Despojar-se de um Ser exige um enorme trabalho. Exige abandono de tudo o que os pais, os educadores, os mestres de infortúnios e os profetas das desgraças lhe impuseram. Deles aprendemos a ter a mentalidade de vítimas, a entrar na aflição, na pobreza e na doença...

Deles aprendemos os milhares modos de morrer. Dos primórdios da civilização, mediante um 'contágio entre gerações', milhões de homens, submetidos a um sono hipnótico, aprenderam a acreditar cegamente na carência e no limite.

Porque o homem está irremediavelmente hipnotizado. Atrás de cada infortúnio encontra-se o mal dos males: a crença irremovível na inevitabilidade da morte. O primeiro passo em direção à liberdade, o mais difícil, é compreender que esse medo governa tiranicamente toda a sua vida.

Seu passado é um castigo de Deus! É preciso resgatá-lo, redimi-lo... é preciso mudá-lo.

No seu passado existem ainda muitas lacunas... contas não saldadas, débitos interiores jamais pagos, senso de culpa, vitimismo e, sobretudo, cantos escuros em que predominam ferrugem e pó. Seu Ser é um negócio mal administrado, sem critério de preço. Aquilo que tem valor é vendido abaixo do custo, e as bugigangas, a preços altos. Continuar nessas condições significa falir...

Existe um lugar onde pensamentos, sensações, emoções, ações e eventos são registrados para sempre e, mesmo depois de anos, podemos reencontrá-los como objetos sem uso, guardados no sótão, aparentemente inativos, inermes. Na realidade, eles continuam a agir e a condicionar toda a nossa existência. É para lá que você deve retornar! Exigirá uma longa preparação. Serão necessários tantos anos quantos foram aqueles de inábil gestão.

Perdoar-se dentro

Para conquistar aquela especial condição de liberdade do ser, de conhecimento, de poder... são necessários anos de trabalho sobre si mesmo... É preciso 'perdoar-se dentro'.
Perdoar-se dentro não é o exame de consciência de um santo obtuso, mas o verdadeiro fazer de um homem de ação, o resultado de um longo processo de atenção... de auto-observação.
Significa entrar nas sinuosidades, nas partes mais íntimas da própria existência, bem lá onde está ainda lacerada...
Significa lavar e curar as feridas ainda abertas... liquidar todas as contas não pagas...
Perdoar-se dentro tem o poder de transformar o passado com toda a sua carga.
Tudo é aqui, agora! Passado e futuro estão agindo juntos neste instante na vida de cada ser humano. O futuro, como o passado, está sob os seus olhos, mas você não pode ainda

vê-lo. Para homens como você é impossível perdoar-se dentro!

Para entrar no próprio passado e curá-lo, é preciso uma longa preparação. Somente um trabalho de Escola pode tornar isso possível, 'perdoar-se dentro' é um retorno a si mesmo, é a verdadeira razão pela qual nascemos. Os seres humanos não deveriam jamais interromper esse processo de cura.

Auto-observação é autocorreção

Auto-observação é autocorreção... Um ser humano pode curar qualquer coisa do seu passado se tiver a capacidade de 'observar a si mesmo'.
Auto-observação é olhar de cima a própria vida! É como submeter eventos, circunstâncias e relações do passado a um raio de luz.
Auto-observação é autocorreção.
Auto-observação é cura, uma consequência natural do distanciamento que se cria entre o observador e o observado. A auto-observação

permite a um ser ver tudo que o mantém grudado à esteira rolante do mundo: pensamentos obsoletos, sentimentos de culpa, preconceitos, emoções negativas, previsões de desgraças... É uma operação de distanciamento, de desipnotizar, de despertar...

A menor suspensão da ação hipnótica do mundo esfacelaria tudo em que sempre se acreditou, tiraria a sustentação do aparente equilíbrio e das certezas ilusórias reunidas no curso de uma vida. Por isso, a maior parte dos seres humanos nunca poderá aplicar a auto-observação. Distanciar-se da descrição do mundo, ainda que por um átimo, é uma ação que vai além dos limites comuns.
Coloque em ação o observador que existe em você!
A auto-observação é a morte daquela multidão de pensamentos e emoções negativas que sempre governaram sua vida...

Se você se observar internamente, o que é certo começará a acontecer e o que não é começará a se dissolver.

Ninguém pode conseguir isso sozinho. Encontrar-se consigo mesmo, com a sua mentira, aventurar-se nos labirintos do ser sem uma preparação impecável iria matá-lo num instante. Veja... é lua cheia. Um ser humano pode olhar milhares de luas durante todos os seus anos, mas, muito provavelmente, ao final da sua vida, não terá encontrado tempo para observar nem ao menos uma... E isso está fora. Imagine o quão mais difícil é para o ser humano observar-se, inverter a posição da própria atenção.

A auto-observação é só o início da arte de sonhar.

O passado de uma pessoa comum... de quem ainda não deu nem os primeiros passos em direção à unidade do ser, é cheio de anzóis que o agarram à mínima tentativa de ali entrar e fazer mudanças...

A morte nunca é uma solução

O medo, o sofrimento, a angústia não são o efeito, mas a verdadeira causa de todos os seus dissabores. O caos que cada ser humano carrega dentro de si, seu inferno, projeta-se no mundo materializando-se em vinganças, discriminação e guerras entre raças, ideologias, crenças e religiões.

O ser humano sofre não porque está diante de um evento lutuoso, doloroso, mas sim por estar diante daquele evento porque escolheu o sofrimento como condição natural sua. É impossível intervir! Você não pode fazer nada!
Aquele homem ama sofrer!

Ele juraria o contrário, mas, na realidade, não sairia do seu inferno por nada deste mundo. Entregar-se àquele estado permite-lhe permanecer agarrado ao mundo e sentir-se seguro. Mesmo na dor de sua condição, é embalado pela ilusão de que uma ajuda pode chegar do exterior...

Se pudesse se observar...

se pudesse modificar um só átomo da sua atitude, das suas reações...

se tivesse a capacidade de elevar em um só milímetro um pensamento seu, uma emoção sua, toda a sua vida se transformaria...

Um ser humano não pode mudar os fatos da sua vida, somente a maneira como os interpreta.

Isso que você vê, esse fragmento da sua existência em que você gostaria de intervir, não é seu passado. É o seu futuro!

Tudo se repete na sua vida...

Os fatos são recorrentes, sempre os mesmos, porque você não quer mudar...
Ainda se lamenta, ainda acusa o mundo, certo de que alguém de fora possa prejudicá-lo ou ser a causa dos seus infortúnios...
O ser humano comum, aprisionado na circularidade do tempo, não tem um futuro de verdade, mas somente um passado que se repete e repete...

Agora você está 'vendo' por intermédio dos Meus olhos! Um dia, quando assumir a responsabilidade disso, saberá que seu vitimismo não é uma consequência, mas a origem de todas as suas desventuras... que você, e somente você, é a causa de tudo isso...
Só aí você poderá trazer luz ao seu passado e curá-lo.

A morte é a imagem especular dos seus estados de Ser, das suas mortes interiores.
A morte é imoral, é não-natural...

A morte física é apenas a materialização de milhões de mortes que a cada dia acontecem dentro de nós; é a cristalização da crença emprestada de uma humanidade que se acorrenta na dor e ama sofrer.

O corpo é indestrutível!...
Ainda assim querem tornar inevitável o impossível...
Os seres humanos fizeram da morte a sua via de fuga.
Sabem perfeitamente como se suprimir, conhecem todas as técnicas...
Um ser humano não pode morrer; pode tão-somente matar-se! Para conseguir isso, deve dedicar-se intensamente e fazer da autocomiseração e da autossabotagem um trabalho em tempo integral.
A morte é sempre um suicídio. Quando esse modo de pensar se tornar carne da sua carne, a sua visão mudará radicalmente e, com ela, a sua realidade.

Neste exato minuto, milhares de seres humanos pensam e sentem negativamente, ludibriados como você pelo mesmo ressentimento...

É esse o estado do Ser que impede à humanidade qualquer possibilidade de fuga dos círculos mais dolorosos da existência. Os seres humanos veneram a morte e não a suprimiriam jamais, nem mesmo se pudessem, porque a consideram solução para os seus problemas, o fim do sofrimento e das inúmeras mortes psicológicas que se infligem... mas a morte não é nunca uma solução!

A cura vem de dentro

Como em uma verdadeira cura, o processo deve vir de dentro. É o nosso ser que cria o mundo, e não vice-versa!
Como todas as pessoas, você sempre acreditou que fossem os eventos os geradores dos

estados que você vive, e as circunstâncias externas, as responsáveis por fazê-lo infeliz e inseguro. Agora você sabe que essa é uma visão invertida da realidade.

Não culpe os acontecimentos.

Um evento é nem belo nem feio.

É apenas uma oportunidade.

Com disciplina, pode transformar a circunstância em acontecimentos luminosos, transferi-losa uma ordem superior...

Se houvesse tido a coragem de se conhecer, não teria sido necessário caminhar por tanta dor.

Nosso nível de ser atrai nossa vida.

Tudo aquilo que você vê e toca é a imagem refletida do seu Ser, daquela imperfeição, daquele hiato que você carrega.

Na existência não há espaços vazios. Se você intencionalmente não os preencher, impondo a si mesmo um novo modo de pensar, de agir, o mundo interferirá com a sua crueldade.

Se você não vê, ou não quer ver, a doença se agrava e a comédia da sua vida será sempre mais dolorosa. Tudo acontece para lhe revelar a causa daquela tragédia, para remetê-lo à fonte de tudo isso... e a lhe permitir, um dia, transformar a visão mortal da existência.

Cada um de nós é dotado de uma imensa margem de segurança. Mas nós a consumimos, a reduzimos rapidamente pela contínua desatenção, pela irresponsável desobediência aos sinais, às advertências, aos semáforos da existência... e acreditamos ser frágeis, expostos a todos os perigos, à mercê da casualidade... A vida é potentíssima e o corpo é indestrutível. Para poder morrer, é necessário tornar possível o impossível.

Este é o seu passado que está morrendo... perdoe-se! A sua vida tem sido algo especial, tem servido para reconhecer a morte em você: o vitimismo, o senso de culpa, a destrutividade que têm guiado a sua existência.

Perdoe!... Perdoe-se, assim sanará o seu passado e o substituirá pela luz do hoje. Os seres humanos são todos como você, fragmentos dispersos no Universo, governados pelas emoções negativas... Acusar, lamentar-se, depender é a história da vida deles... é o único sentido que sabem dar às coisas!... Destroçados pela angústia, tentam esquecer a morte com a morte.

Auto-observação é autocura.

O passado deve ser abençoado, curado... Entre em cada sinuosidade! Leve luz a cada canto! Transforme-o por meio de uma nova compreensão... O seu passado será curado quando você não mais se deixar levar pelas apreensões, dúvidas ou medos. Este é o verdadeiro significado de 'perdoar-se dentro'.

2
Lupelius

Encontrar a Escola

Ao Meu lado você poderá descarrilar dos trilhos do seu destino inflexível.
Ao Meu lado você poderá destruir o círculo vicioso dos seus hábitos, dos seus sentimentos de culpa...
Ao Meu lado você poderá renunciar à dúvida, ao medo, aos seus pensamentos destrutivos...
Deverá abandonar a mentira que o liga à mortal descrição da existência.

Para mudar, você deverá combater sua programação! Deverá reverter, mudar completamente sua visão. Somente assim, e por meio de um longo trabalho, você poderá reescrever

seu destino... Um ser humano sozinho não consegue fazê-lo.
Precisa de uma Escola.
A Escola é a viagem de retorno.

A Escola é o pulo quântico da multidão à integridade, do conflito à harmonia, da escravidão à liberdade.
Encontrar a Escola significa ligar-se ao sonho por um cabo de aço.
Significa poder penetrar a zona mais alta da responsabilidade.
Somente poucos dentre poucos podem suportar esse encontro.
Não se preocupe...
A Escola encontrará você.

Quando um ser humano está irremediavelmente desiludido com a sua vida, quando percebe a sua incompletude e a sua impotência, quando a existência o aperta em uma morsa sem folga, só então aparece... a Escola.

O mundo que nos descreveram

Encontrar a Escola é o fato mais extraordinário da vida de um ser humano, a única oportunidade para escapar da habitual hipnose e compreender que tudo aquilo que você vê e que o circunda não é o mundo... mas unicamente uma descrição. As imagens que chegam à nossa retina não são o mundo, mas a sua descrição.
O mundo lhe foi descrito. O verdadeiro criador da realidade que o circunda é você!... Você apenas se esqueceu... Você é a causa de tudo e de cada coisa. Um dia, quando curado, saberá que as raízes do mundo são você. O mundo, para existir, precisa de você... Você se esqueceu de ser o artífice, o inventor, e tornou-se a sombra da sua própria criação. O mundo é subjetivo, é pessoal!...
É o reflexo especular do nosso Ser... Visão e realidade são a mesma e idêntica coisa; o que as divide é somente o 'fator tempo'...

Só podemos ver aquilo que somos! Quando um ladrão encontrar um santo é só olhar os seus bolsos. Somente o encontro com a escola pode fazer com que você escape da rigidez de uma vida comum. Somente um 'trabalho de escola' poderá um dia permitir-nos 'ver' o mundo além da sua descrição falsa. Somente 'um ser humano de escola' poderá um dia ter acesso a uma visão harmoniosa, a um estado de integridade. E somente visão harmoniosa e integridade podem curar o mundo.

A Escola da reversão

Uma escola de transformação.

> Sonhei uma Revolução Individual,
> capaz de mudar completamente
> os paradigmas mentais
> da velha humanidade,
> e libertá-la para sempre dos conflitos,
> da dúvida, do medo, da dor.

Sonhei uma Escola que eduque
uma nova geração de líderes
e capacite-os a harmonizar
os aparentes antagonismos de sempre:
Economia e Ética,
Ação e Contemplação,
Poder Financeiro e Amor.

A Escola dos Deuses... onde, antes de poder governar os outros, é necessário governar a si mesmo.

Uma Escola da reversão onde as convenções e ideias são subertidas... e antes de tudo a ideia da inexorabilidade da morte. A morte é uma resistência à verdade, à harmonia, à beleza. A morte destrói qualquer coisa que não seja capaz de passar no teste da verdade. Se formos verdadeiros em cada célula do nosso corpo, não morreremos jamais.

É preciso, antes de tudo, descobrir o inimigo na sua carne. E quando o houver desentocado, você o reencontrará à sua frente sempre mais perspicaz, mais potente... mais impiedoso. O antagonista cresce com você... Não existem milhares de inimigos; existe um só, bem como uma só é a vitória... aquela sobre você mesmo.

A 'viagem de retorno' é, para o ser humano, a grande oportunidade de curar o próprio passado. O mundo é o passado. Qualquer pessoa, qualquer coisa que encontre é sempre o passado. Mesmo que apareça diante de você neste instante, o que você vê e toca é apenas a materialização dos seus estados...

Passado é Pó.

O mundo que você vê e toca neste preciso momento é a materialização de tudo aquilo que você foi... Não há nada que possa acontecer na sua vida que não tenha antes tido consenso nose seus pensamentos...

O mundo é pó. Assopre-o e disperse-o.

Essas obras transmitem a emanação, a amplitude do pensamento de uma grande Escola de

Responsabilidade. Somente uma Escola assim pode combater os preconceitos e crenças milenares, subverter os paradigmas mentais da velha humanidade e curá-la para sempre dos conflitos, libertá-la da dor...

Visão e realidade são uma única e mesma coisa.

O mundo é o seu reflexo. Reverta suas convicções e o mundo, como uma sombra, as seguirá. A realidade assumirá a forma de uma nova visão.
Para você e para aqueles que, como você, acreditam poder encontrar a verdade nos livros... será útil procurar as pegadas dessa antiga Escola...
Um dia você compreenderá que não existe nada fora a ser trazido para dentro, que não há nada que você possa adicionar àquilo que sabe... que ensinamentos e experiências não levam ninguém à compreensão... O verdadeiro conhecimento pode ser apenas

'recordado'... O conhecimento de alguém não pode ser nem menor nem maior que ele. Um ser humano sabe somente aquilo que é... Conhecer significa, antes de tudo, ser. Quanto mais é, mais sabe!

Re-memorar.

O conhecimento é propriedade inalienável de todo ser humano... é tão antigo quanto ele.

Um dia você compreenderá que não há nada a adicionar, mas muito, muito a eliminar... para poder saber.

Não há nada que você possa acrescentar ao que já sabe.... O verdadeiro conhecimento não se pode adquirir, apenas 'recordar'.

Todos os livros do mundo estão contidos em um átomo do Ser. Eles não podem acrescentar nada ao seu conhecimento ... dos livros não pode vir a vida. O saber depende do Ser... Quanto mais é, mais sabe!

Todo ser humano ocupa um grau da inteligência humana e é um guardião dos níveis superiores... Se você se mantiver incorruptível, cada encontro será uma oportunidade, uma etapa na qual você pode descansar os pés e seguir adiante. Se você esquecer, vai ficar preso a um jogo virtual externo, que o jogará na confusão infernal de sua vida.

Visão e realidade são uma e única coisa.

Lupelius

O sono nos enfraquece, mente e corpo. O sono é tão-somente um mau hábito.
Reais guerreiros não lutam pela supremacia ou pela hegemonia sobre os outros.
Não lutam pela glória, nem pelas posses ou recompensas, mas para ganhar a única coisa que realmente importa: a própria liberdade interior.

Livres, sempre, de todas as condições humanas
e limitações naturais.
A incorruptibilidade e a pureza
tornam um guerreiro invulnerável,
inatacável até pelos males mais temíveis.

Tudo aquilo que sinteticamente chamamos
de mundo,
os eventos e as circunstâncias da nossa vida,
são projeções nossas.
Se somos sabedores disso,
podemos projetar somente a vida,
a prosperidade, a beleza, a vitória.
Se somos vigilantes, atentos,
podemos projetar liberdade,
um mundo sem obstáculos, sem limites,
sem velhice, sem doença nem morte.

A doutrina de Lupelius

O corpo é o espírito feito carne. Se o espírito é imortal, também o é o corpo.
O escudo de um ser humano é a sua pureza, o seu amor pela vida e por seu mestre.
Para Lupelius a pureza é a qualidade fundamental de um ser humano e a via de acesso à imortalidade física: assíntota suprema da parábola humana.

Na Escola de Lupelius todo esforço é empregado para liberar a mente da convicção de que a morte seja inevitável e invencível. Tudo faz parte de uma estratégia de purificação para derrotar dentro de si o prazer arcano de morrer que no homem comum ocupa muitos aspectos, tornando-se a sua segunda natureza, parte indispensável de sua vida.

A crença de que a morte seja invencível
é danosa aos seres humanos.
Sua longevidade é determinada
por seu estado mental,
por seu desejo de vida.

A sua longevidade é determinada por sua mente. Isto significa que, se morrer, você é o único responsável!
Por afirmar o direito de todos os seres humanos à imortalidade, por sua luta que visa a denunciar a morte como um dos mais horríveis e injustos preconceitos humanos, Lupelius será lembrado como o místico mais

importante da imortalidade física. Mentir, esconder, lamentar-se e tentar escapar das suas responsabilidades são os estigmas do ser caído na imoralidade, na divisão, o ser humano que esqueceu a razão da sua existência e humanidade, que abdicou do seu direito de primogenitura, que se esqueceu da sua integridade, "inventa" a morte para acabar com as suas misérias.

O ser humano prefere morrer a assumir a difícil tarefa de vencer a si mesmo, a sua incompletude... Mas a morte não é uma solução. Um ser humano sempre recomeça onde parou. Velhice, doença e morte são insultos à dignidade humana, antigos pilares de uma descrição do mundo ilusório.

O mal está a serviço do bem. Sempre... Tudo vem para nos curar... Mesmo a morte física é realmente uma cura. A última possível!

A morte é o extremo recurso da existência, quando todas as outras tentativas para curar, para integrar, foram em vão.

Proibido matar-se dentro

A integridade do Ser é apenas o início de uma humanidade que escolheu viver para sempre.
Semelhante atrai semelhante.
Morte atrai morte e não pode atingir aquilo que está ligado à Vida.
A primeira causa da morte é a nossa própria separação de Deus, despois de tê-lO transferido para fora de nós.
Lupelius diz que você pode odiar Deus porque você está doente, ou sofrer porque você é pobre, mas garanto que a razão de você estar doente, do seu sofrimento ou da má divisão da riqueza é porque os seres humanos esqueceram Deus e transformaram o planeta em um mundo de morte. Fizeram da morte a sua razão de viver. Dedicam a ela seu pensamento e todas as suas ações todos os dias.
'Amar e servir' é o lema... Para estar a serviço da humanidade é preciso amar... e antes de mais nada, amar a si mesmo, amar a sua vida...

Lupelius lembrou aos seus discípulos... Vocês são deuses que esqueceram.. vocês são deuses em amnésia...

Todos esqueceram... mesmo as ordens seculares. O esquecimento enfraquece o guerreiro em cada ser humano... Somente um trabalho incessante sobre si mesmo pode permitir ao ser humano superar a morte.

Proibido matar-se dentro!

O que nos faz morer fisicamente milhares de mortes é a morte psicológica que diariamente nos rodeia... acreditar que a morte é invencível nos mata. A crença da sua inevitabilidade é o verdadeiro assassino.

A Escola dos Deuses

Para escolher vida temos de antes escolher o pensamento que a morte não é invencível. E, assim, temos de achar os princípios de vitalidade, longevidade e eternidade no nosso ser.

Uma empresa é tão vital,
rica e longeva
quanto as ideias e os princípios
do seu fundador.

Uma real melhora indica a mudança do ser. Uma real melhora significa evolução ou crescimento para a unidade do ser, que é o resultado de um novo modo de pensar e o abandono da velha e mortal mentalidade... Somente uma mudança no ser pode elevar alguém a um grau mais elevado de liberdade, de compreensão, de felicidade.

Mea-culpa

Você se encontra sempre diante dos mesmos eventos porque nada muda em você!
Semelhante atrai semelhante.
A partícula de paraíso vai em direção ao paraíso, a partícula de inferno, em direção ao inferno.

Pensamento é criativo.

Pensamento cria.

O inesperado sempre precisa de uma longa preparação.

Pensamento é Destino.
Quanto mais elevados os nossos Pensamentos, mais grandiosa é a nossa Vida.
A existência é uma invenção nossa e,
como tal,
depende unicamente de nós.
É preciso aprender a reverter nossa visão.

Tudo aquilo que os homens comumente percebem como dificuldade e infortúnio, tudo aquilo contra o que praguejam, tudo aquilo que tentam evitar a todo custo é, de fato, o mais valioso material para transformar a psicologia de morte em uma psicologia de vida. Viver neste mundo é uma Escola para Deuses. Confusão, dúvidas, caos, crise, raiva, desespero e dor são excelentes condições para o crescimento.

Estados e eventos (1)

Pensar é Destino.

Onde quer que se encontrem, por alguns instantes ou durante anos, as pessoas invariavelmente formam uma pirâmide. Organizam-se em níveis diferentes, de uma escala invisível, de acordo com uma ordem interior, matemática, como hierarquias planetárias organizadas de acordo com luminosidade, órbitas, massa e a distância do próprio Sol.

Estados e eventos (2)

Os estados emocionais de um ser humano são, na verdade, eventos em busca de uma ocasião para se manifestar e se tornar visíveis.

Nada acontece inseperadamente.
O inesperado precisa sempre de uma longa preparação.

O universo é perfeito assim como o é. O único que deve mudar é você!

Quem sabe produzir intencionalmente em si a menor elevação do ser move montanhas e se projeta como um gigante no mundo externo.

Apenas aparentemente o ser humano deseja a si mesmo o bem, a prosperidade, a saúde. Se ele se observasse e se conhecesse interiormente, escutaria dentro de si a récita quase contínua de um canto de negatividade, como uma oração de desventura composta por preocupações, imagens doentias, expectativa de eventos terríveis, prováveis e improváveis.

Atribua a si mesmo a culpa de tudo, assuma a responsabilidade de tudo aquilo que lhe acontece. O segredo dos segredos é o Mea-culpa.

Auto-observação é autocorreção.

Coloque Deus no trabalho

O ser humano não precisa trazer para dentro nada do externo... nem comida, nem conhecimento, nem felicidade... É o seu direito de nascimento não depender de nada de fora dele mesmo... O ser humano pode se alimentar do interno, nutrir-se da sua inteligência, da própria vontade, da própria luz.

Lupelius: "Se você acreditar no mundo externo como algo real, então você estará perdido e destinado a fracassar em tudo o que fizer. Qualquer coisa vinda de fora pode somente ajudá-lo a reconhecer, em você mesmo, a verdadeira raiz de todas as suas dificuldades, limitações e aflições. Então, deixe todos os incidentes exteriores – circunstâncias, eventos e relações com os outros – acomodar-se em um lugar dentro de você, onde esse lixo poderá ser transformado em uma substância nova, em uma energia nova, em uma vida nova.
Vocês fizeram da existência, do mundo externo, o seu deus... Mas a existência não é real... é um artifício a serviço do 'sonho' para você ir à fonte e descobrir o que é

verdadeiramente real.... Não há nada fora que não seja regido pelo 'sonho'."

Amâncio: "E este castelo no qual nos encontramos agora? E estes cômodos com mais de trezentos anos?"

Lupelius: "São uma criação sua... agora, neste exato instante!"

Amâncio: "E meu pai e minha mãe?"

Lupelius: "São sempre uma criação sua... Não existe nada fora de você que exista antes de você!

A vida não vem dos nossos pais, mas é Real, Eterna, Magnífica, sem começo nem fim, sem nascimento nem morte."

Amâncio: "Então... agora... o ser humano é.... Deus?"

Lupelius: "Não!... É muito mais!... Tem Deus a seu serviço..."

Amâncio: "O que significa isso?"

Lupelius: "Que você poderia pedir-Lhe tudo o que desejasse... e Deus obedeceria a cada um dos seus pedidos... sem limites. Deus é um

bom servidor, mas não um bom patrão. Deus ama servir, ama amar... Deus é a redenção total a seu serviço. Deus existe porque você existe. Se você não existisse, não haveria razão de existir... Deus é a sua vontade em ação."
Amâncio: "Não entendi."
Lupelius: " A mente não pode entender, pode só mentir.
A mente... mente!
A mente que não mente se anula
e cria espaço à totalidade do Ser.
É Aqui que tudo acontece....
É Aqui que cada coisa é tocada...
É Aqui que tudo é movido...
Aqui... onde Verdade, Inocência, Beleza e Poder habitam.
Aqui... neste infinito, eterno e indestrutível Corpo."

A arte de manter-se acordado

O campo de batalha é o Corpo

Expanda sua visão até que todo o seu corpo, com cada órgão, músculo, fibra e célula, até o último átomo, seja dominado pela luz do seu sonho. Quando se aciona o sonhar, todas as coisas são possíveis. O seu sonhar contém todos os princípios e todo o poder para estabelecer o Reino do Céu na Terra.

Não existe guerra mais santa que vencer a si mesmo, não existe vitória maior que superar os próprios limites. A integridade é uma cura do ser. Exige uma reversão de convicções milenares, uma transformação de emoções negativas e pensamentos destrutivos, a obtenção de um domínio sobre si mesmo e o controle sobre a comida, o sono, a respiração...

Quanto mais ampla a respiração de um ser humano, mais rica a sua realidade. Se você quiser mudar seu destino, trabalhe a sua respiração... dedique tempo à respiração.

As pessoas dormem do mesmo modo que esperam morrer... de repente. Mas você, qualquer que seja a hora, não importa quanto tenha durado o seu dia de trabalho e quão dura tenha sido a sua batalha, procure ir dormir acordado... Quem não sabe gerir a própria energia, ao final do dia desmaia na cama, mais morto que vivo... Mas você, se tiver de dormir, aproxime-se do sono acordado. Isso permitirá a você não cair nas profundezas infernais.

Dormir é morrer!

Se você já sabe que o sono é a representação da morte, você não pode mais se aproximar dele como antes.
Em todo o caso, independentemente das precauções e dos meios que você use, não permita a ninguém, jamais, nem mesmo à sua mulher, vê-lo dormir.
Exercite-se na arte da vigília!...
Um guerreiro sabe que deixar ver-se dormir é mostrar a própria vulnerabilidade...

é um consentimento dado ao mundo para nos atacar e nos golpear mortalmente.

Os maus hábitos

> Um ser sem doença,
> sem idade e sem morte.

É hora de a humanidade sair de um sono ancestral, metafísico. É hora de sacudir o pó milenar de suas convicções. A comida, o sono, o sexo, a doença, a velhice, a morte são hábitos mentais ruins. É preciso libertar-se deles.
O campo é o corpo... O campo de batalha é o seu corpo. Cada vitória sobre o excesso de comida, cada minuto subtraído do sono você o reencontrará como triunfo sobre a morte... A morte física é imoral... não natural... inútil.

> Coma menos e sonhe mais.
> Durma menos e respire mais.
> Morra menos e viva para sempre.

Você não vai conseguir!

Você não vai conseguir!.
Ninguém consegue...
É o humano que não consegue!
Muitas são as leis que o fazem continuar a ser o que você é. Até a pesquisa que eu lhe confiei, você a transformou em alguma coisa que alimenta sua vaidade, seu egocentrismo.
Recorda-se de quando você chorava por horas a fio, até ficar sem voz?
Você ainda está lá, nada mudou. Os seus caprichos de menino tornaram-se uma inclinação permanente às lamentações e à autocomiseração.
No mundo do comum e da mediocridade, é impossível mudar. Com sete anos, um menino já entra no triste exército dos adultos, como um pequeno espartano... já recebeu uma descrição invertida de mundo e um jogo completo com todas as convicções, preconceitos, superstições e ideias que o farão

pertencer, por direito e para sempre, ao clube planetário dos infelizes.

Pensamento, emoção e corpo no ser humano são universos concêntricos... tudo está ligado. Mudar intencionalmente uma cadência ou uma inflexão de voz, endireitar um só milímetro as costas, modificar o hábito aparentemente mais corriqueiro, significa mudar inteiramente a própria vida. É quase impossível.

> Somente se você se recordar de Mim poderá conseguir!

Reverta suas convicções

Reverta, mude completamente suas convicções! O presente, o passado, o futuro de um ser humano... os eventos, as circunstâncias e as experiências que encontra no seu caminho são sombras projetadas daquilo que ele acredita. A sua existência e o seu destino são a materialização das suas convicções e, sobretudo, das suas transigências...

Visibilia ex Invisibilibus

Tudo aquilo que você percebe, vê e toca nasce de uma invisibilidade. A vida de um ser humano é a sombra do seu sonho, é a manifestação no visível dos seus princípios e de tudo aquilo em que ele acredita...

Todos veem se realizar, ponto por ponto, cada coisa em que acreditaram firmemente...

O ser humano está sempre criando. Os obstáculos que encontra são a materialização dos próprios limites, do seu pensamento conflituoso, da sua impotência...

Existe aquele que acredita na pobreza, existe aquele que acredita na doença... existe aquele que acredita firmemente no limite e na carência... existe aquele que se concentra na criminalidade... O ser humano está sempre criando, mesmo nos estados mais turvos do Ser.

O que faz a diferença entre as pessoas, aquilo que as faz construir um destino diferente, é a direção das suas crenças, a diferente qualidade do objetivo que, ainda que inconscientemente, cada uma se propõe a alcançar.

Se um ser humano tivesse a capacidade de deslocar a direção da sua fé em um milímetro, se pudesse pelo menos dirigir a força das suas convicções para a vida e não para a morte, poderia remover montanhas no mundo dos eventos.

Até hoje, sua razão de vida, a meta da sua existência, como a de todos os seres humanos, foi a de se matar dentro. Doença, Velhice, Morte são as divindades que há milhares de anos a humanidade idolatra. Assim o ser humano renuncia dolorosamente à vida, ao seu sonho infinito.

Se tiverem fé como um grão de mostarda...

O sonho é a coisa mais real que existe

É só uma questão de tempo... No tempo certo, atingiremos todos os objetivos a que nos propusemos... No final, venceremos todos...

todos viremos a ser aquilo em que acreditamos... e todos obteremos aquilo pelo que nos tornaremos incorruptíveis... Vocês, a miséria, a imoralidade, a morte... e Eu, a impecabilidade, o infinito, a imortalidade.

A síndrome de Narciso

Sua fé mais irremovível, sua convicção mais nociva é acreditar que existe um mundo externo a você, alguém ou alguma coisa de quem depender, alguém ou alguma coisa que possa lhe dar algo... ou tirar-lhe algo, escolhê-lo ou condená-lo.
Se um guerreiro acreditasse, só por um minuto, em uma ajuda externa, perderia no mesmo instante a sua invulnerabilidade.

Não existe nada lá fora...

A doença mais grave do ser humano é a dependência.

A fábula de Narciso é a metáfora do ser humano que se torna vítima do mundo.
É a história emblemática do ser humano enredado no reflexo de si mesmo.
A partir do momento em que você percebe que o mundo é a projeção de você mesmo, você está livre dele.

Apaixonar-se por qualquer coisa fora de si, esquecendo-se de si mesmo, significa perder-se nos meandros de um mundo que depende, significa esquecer-se de ser o único artífice da própria realidade pessoal.
Um mundo fora de nós não existe. Tudo aquilo que encontramos, que vemos, tudo aquilo que tocamos, é reflexo de nós mesmos. Os outros, os eventos, os fatos, as circunstâncias da vida de um ser humano revelam sua condição.
Como Adão, também Narciso morde a maçã!
Também ele, como Adão, acreditou na existência de um mundo externo.

O mundo, você o cria a cada instante! O riacho no qual Narciso se espelha é o mundo externo. Tomá-lo como real, apoiar-se nele, significa depender da própria sombra... De criador você se torna criado, de sonhador você se torna sonhado, de patrão você se torna escravo, até que você seja sufocado pela sua própria criatura.

A queda de Adão e Eva do Éden acontece a todo instante

A cada instante somos banidos do paraíso quando nos deixamos levar pela descrição do mundo; quando o mundo nos possui, quando nos esquecemos de ser os seus artífices. A criatura, então, rebela-se e luta contra... É esse o pecado original, o pecado imperdoável, mortal: trocar a causa pelo efeito.

Um ser humano íntegro, real... assim o é porque governa a si mesmo. E, não obstante o aparente dinamismo dos eventos e a variedade das situações, ele sabe que o mundo é o seu espelho...

Bem ou mal, belo ou feio, certo ou errado, tudo aquilo que um ser humano encontra é somente seu reflexo e não a realidade. Cada um recolhe sempre e somente a si mesmo. Você é a semente e a colheita.

É por isso que todas as revoluções da história faliram... tentaram mudar o mundo pelo externo... acreditaram que fosse real a imagem no riacho...

> Não conte com a ajuda do mundo.
> Somente aqueles que foram
> além do mundo
> podem melhorar o mundo.
> Transcenda, vá além do mundo!

Por séculos o ser humano vem arranhando a tela do mundo, acreditando poder modificar as imagens do filme que ele mesmo projeta.

Esqueça guerras, revoluções, reformas econômicas, sociais ou políticas... e ocupe-se da verdadeira responsabilidade por todos os acontecimentos... Não cuide do sonhado, cuide do sonhador que existe em você. A maior revolução, a mais difícil tarefa, embora a única que faz sentido, é mudar a si mesmo.

Um ser humano não pode se esconder

Quem depende do mundo permanece enredado nas zonas mais grosseiras da existência. Por toda a vida você buscou segurança e satisfações efêmeras fora de você... sempre suspenso entre o medo e a esperança, que são as bases da dependência.

A sua vida, como a de todos os dependentes, é horrível. É a vida de um escravo... Anos e anos em um escritório perpetuando a mediocridade, a carência, sem nem ao menos ter o mais distante desejo de escapar daquela prisão.

Não existe nada lá fora... Não existe ajuda que lhe possa chegar de parte alguma.

Não deixarei jamais de repetir: nada está fora de você... O que você chama mundo é somente um efeito... O que você chama realidade é a materialização, o reflexo especular dos seus sonhos ou dos seus pesadelos...

Perceba que o mundo está em você, e não vice-versa!

Aquilo que está no mundo, o que pertence ao mundo, não pode nem ajudar nem salvar... você.

Aspire à liberdade, saia do meio dessa multidão de desesperados. Imponha-se um novo modo de sentir. Conquiste a imensidão, o profundo e ilimitado dentro de você, e as galáxias se tornarão grãozinhos de areia...

Alargue a sua visão e verá o mundo tornar-se minúsculo...

Visão e realidade são a mesma coisa

Busque a integridade e aquilo que para os outros são montanhas insuperáveis, para você serão apenas pequenas saliências.

O mundo é um reflexo dos seus estados de Ser. Todos os evento são os seus estados de Ser... Ainda que tente escondê-lo, acusando e lamentando-se continuamente, na realidade, o seu canto de dor, como um rito propiciatório ao contrário, convidou todas as desgraças e dificuldades do seu existir.

Um ser humano não pode se esconder

Nossa menor ação, cada percepção, cada pensamento nosso, um gesto, uma expressão do rosto são registrados na eternidade.

Um ser humano não pode se esconder!... Aqui Comigo você está só diante da existência... Aqui não existem partidos ou sindicatos. Ao entrar neste lugar, você não pode trazer consigo nada do passado, nem a mentira do nome ou do papel que interpreta.

Aqui não existem cercas em que se prender...
aqui é somente você diante de si mesmo.

Pare de sentir medo e de se esconder! Há uma parte sua que deve morrer, porque é absurda. Essa morte é a sua grande oportunidade... Somente você poderá fazê-lo.

Se você trabalhar sem descanso e empenhar-se por tantos anos quantos aqueles que você usou fazendo o mal a si mesmo, um dia o tempo se firmará, se abrirá um túnel que o guiará até a sua parte mais real, mais verdadeira... a parte que todo ser humano deverá alcançar: o seu sonho.

3
O corpo

O mundo é você

Longe de Mim você se degrada e retorna ao seu programa de morte. Quando não se lembra de Mim, você reincide nas mesmas coisas... Continua percorrendo a sua vida, aborrecendo-se e esquecendo-se de que você já a viveu.

Nada é externo!

Mas você ainda procura a segurança nos olhos dos outros, ainda procura a felicidade, as soluções em um mundo que, ele mesmo, sofre da mesma doença sua... O mundo é a sua pele, o mundo é você!...Você, que encontra sempre e tão-somente você mesmo.

Os outros são você fora de você!... São fragmentos de você dispersos no tempo, reflexos de uma psique desintegrada...
É este o pecado dos pecados.

Os anões psicológicos

É assim que os seres tornam-se anões psicológicos, menores que um inseto. Transitam pelo mundo com o rabo entre as pernas, alimentam sentimentos de culpa, sustentam medos...
Nesse nível de degradação, um ser humano pode somente trair, acusar, lamentar-se, lamuriar-se... e mentir... mentir a si mesmo, iludindo-se de que o seu problema está sob controle, que a sua vida é perfeita exceto por um pequeno aspecto qualquer, um problema isolado ou uma contrariedade do momento.

Na sua cegueira, não quer reconhecer que atrás de um aspecto desagradável da sua vida ou de um ponto aparentemente irrelevante há uma doença em todo o ser. Para mudar um só átomo da própria vida é preciso mudar tudo! É preciso mudar completamente o modo de pensar, as próprias ideias, a visão ordinária de mundo!

Quando você perceber que o externo foi criado por você, que é você quem contém o mundo e não vice-versa, quando você se recordar de que tudo aquilo que você vê, escuta, toca é fruto da sua criação, você não poderá mais sentir medo de nada...

> O mundo é uma goma de mascar:
> assume a forma dos seus dentes

Não se esqueça de que o mundo, os outros, é a expressão mais honesta, mais sincera daquilo que realmente somos...

> O mundo é assim porque você é assim!

Recorde-se de Mim! Recorde-se do sonho! Então você se encontrará com um mundo perfeito, um mundo curado...

O paraíso terrestre é a projeção de um estado de ser, de um paraíso portátil. Para manter intacto este paraíso, para manter juntos os átomos, é preciso estar constantemente vigilante, é preciso continuamente 'intervir'...
Intervir significa saber entrar nas partes mais escuras do próprio ser e levar luz.
Se permitisse a um só grão do inferno entrar no Meu paraíso, tudo isto desapareceria.

Um dia, para merecer o paraíso, e para poder mantê-lo, você deverá saber protegê-lo de toda mediocridade, de qualquer desatenção, das suas mortes internas... Um homem solar projeta a própria luminosidade, um mundo feliz, íntegro, e não permite que nada o ofusque...

Se permitisse a um só grão do inferno...
O mundo é a representação perfeita dos seus

estados de Ser. O mundo é assim porque você é assim, e não vice-versa.

O canto de dor

Só aparentemente um ser humano se deseja o bem, a prosperidade, a saúde.
Se pudesse se observar, conhecer-se interiormente, escutaria dentro de si um canto de dor, a representação constante de uma oração de infortúnios, na expectativa de acontecimentos terríveis, prováveis e improváveis... A vida do ser humano comum tem mão única... conhece somente a direção do limite... A sua única fé, a sua única lealdade, dirige-o à morte... A escolha de como se matar é a sua única liberdade. Um cavalheiro de outros tempos, ou de outra índole, teria escolhido uma pistola. Nós o teríamos visto dignamente apontá-la sobre uma de suas têmporas e dar adeus ao mundo, dirigindo um último olhar a este extraordinário panorama.

Você também está se suicidando....

A única diferença entre a pistola e a comida é a rapidez do método escolhido para se matar! Também você é um suicida.

Este corpo é indestrutível.

Somos nós que permitimos que ele seja destruído. Os próprios pensamentos e sentimentos que impomos ao corpo são os criadores de envelhecimento, doença, fracasso e morte. Tudo o que acontece em seu corpo acontece no mundo. O mundo é como você é, e você é esse eterno, imortal corpo.

Você, como milhões de seres humanos, escolheu se matar por intermédio dos seus medos, dos seus pensamentos destrutivos.

Tentar pará-los, colocar obstáculos nos seus projetos de morte não nos faria parecer a seus olhos como salvadores ou benfeitores. Ao contrário, a nossa tentativa os transformaria em inimigos mortais e, no final, serviria apenas para adiar a autossabotagem que se impõem.

Existe um lado escuro que o ser humano herda da primeira educação, um pensamento destrutivo, um impulso de prejudicar primeiro a si mesmo e depois os outros.

Observem-se! Entrem nos cantos mais escuros do ser. Contenham dentro de vocês todo tipo de dúvida e de medo ao primeiro sinal de insurgência. Combatam... Imponham-se a felicidade, o bem-estar, a certeza. Não são as condições do mundo que os tornam infelizes, mas é o canto de dor que entoam o que cria todas as misérias do mundo.

O corpo não pode mentir

Olhe para você! Você tem pouco mais de trinta anos e seu corpo já é o de um velho.
O corpo é um revelador do ser. Deveria continuamente vibrar de prazer, de alegria, como uma criança... mas você se esqueceu... O corpo não pode mentir!

O corpo, a palidez do rosto, o inchaço dos olhos, a flacidez denunciam que você já renunciou a viver, desistiu do jogo. O seu plano inconsciente de apressar o encontro com a morte física todos já conhecem, menos você!...
Alguém, para reduzir o corpo a esse estado, deve primeiro profanar a si mesmo...
É como um animal ferido que sangra e deixa atrás de si o rastro para ser pego e eliminado por seu predador.
As leis da existência, fora da selva, não são diferentes.
O Ser, o corpo e o mundo são uma única coisa! Tudo aquilo que você vê e toca é luz solidificada; tudo aquilo que você percebe não é outra coisa senão uma projeção dos seus órgãos. Estes não são somente a sua parte mais próxima do mundo, estes são os verdadeiros construtores, artífices, criadores do seu universo.

O Corpo é o verdadeiro Sonhador...

O CORPO

O Corpo sonha, bem como suas células
e seus órgãos sonham.
O Corpo é o verdadeiro construtor
do seu mundo pessoal.

Na realidade, o corpo é o Ser... é o Ser tornado visível.

A fé em uma divindade fora de nós, a ideia de que existe uma entidade além do nosso corpo é a superstição mais difundida no mundo e é um dentre os maiores assassinos da humanidade.

Foi assim que o ser humano caiu na iniquidade, na imoralidade da morte.

O corpo não pode mentir.

O corpo é a parte mais sincera, mais honesta do nosso Ser. O corpo revela-nos... no estado em que estamos, revela a nossa incompletude, os nossos conflitos.

Eu sou o obstáculo ao seu envelhecimento, ao seu projeto de adoecer e morrer. Eu sou o obstáculo ao seu retorno à vulgaridade do passado... à reiteração dos atos... à acidentalidade... Ao Meu lado você não pode se degradar... Por isso você Me vê como o seu pior inimigo...

É mais simples seguir hipnoticamente a velha estrada em direção à degradação e ao sofrimento do que tratar de subir... ir contra a corrente... e rebelar-se contra a pobreza, contra a tirania da velhice e da doença, contra a imoralidade da morte...

Ao Meu lado você não poderá envelhecer, não poderá adoecer... nem morrer.
Se você aprender como elevar as vibrações do seu corpo, você desaparecerá da visão de um mundo danoso, ameaçador e mortal. O campo de batalha é o corpo.

Mas, a vocês, que escolheram a morte como guia, a vida e a luz apresentam-se como o horror... Por isso essa luta declarada entre Mim e vocês...

Seja frugal!

Essa luta entre nós somente acabará quando você tiver mudado para sempre. Se lhe parecer duro... impiedoso... se sentir dor... se Me vir como um monstro com olhos injetados de sangue, serei apenas o reflexo da sua incompreensão, da sua resistência à mudança...

Ao Meu lado, se quiser, poderá mudar o seu destino inevitável e o de milhares de homens e mulheres...

Use melhor toda a sua força enquanto há tempo para se opor a essa programação que concebe a ruína, para combater essa programação de toda uma vida dirigida ao fracasso e à dependência. Mude completamente a sua visão e liberte-se da descrição do mundo que você recebeu de adultos adulterados e de todos os mestres em amargura que você encontrou na sua vida. Renuncie à sua fé na doença e na velhice... Pare de mentir! Rebele-se contra tudo isso e suprima os lastros das suas costas. Endireite seu corpo, levante o peito e mantenha a cabeça erguida... Liberte-se do peso do supérfluo, da gordura e da mentira.

A comida é morte.
O seu corpo denuncia que você é chantageado pela comida. O seu envelhecimento precoce revela ausência de temperança, ausência de inteligência, ausência de amor.
A fidelidade que a humanidade tem à comida só é comparável à lealdade que dedica à morte. Abandone essas superstições!
Coma uma só vez ao dia. Seja frugal.
Um dia, quando você estiver mais preparado, saberá que até mesmo uma refeição é demais.
Os órgãos de um ser humano não foram criados para processar comida.
Os órgãos de um ser humano, todos os seus órgãos foram feitos para sonhar! Essa é a natural função deles. Quando o corpo está

em jejum, o rosto se sutiliza, a mente fica lúcida, pronta... veloz... as células agradecem, regeneram-se; começa, assim, um processo de cura, um renascimento do ser que se materializa antes no corpo e, depois, no mundo dos eventos.

O segredo é que os órgãos, em ausência de comida, voltam a desenvolver sua verdadeira e natural função: sonhar!... e, através do poder do sonhar, materializam no dia a dia tudo aquilo que um ser humano pode desejar.
Esteja atento! Abster-se de comida não significa jejuar. Aquilo de que estou lhe falando é uma substituição...

Um mundo sem fome

Quando você deixar de acreditar em um mundo externo como fonte da sua subsistência, não poderá mais se alimentar do reles, do grosseiro... Por meio da elevação da qualidade do ser, por intermédio de um novo modo de pensar, sentir, respirar, agir, uma humanidade mais responsável descobrirá uma fonte alternativa de alimentação. Essa comida, que é a verdadeira nutrição, nasce de nós mesmos, e tornará a ser acessível quando for a vontade a governante da nossa vida, e não a descrição do mundo.

Reverta sua visão. Pense em quantos recursos poderão, em contrapartida, ser dedicados à beleza, à arte, à música, ao entretenimento, à busca da verdade, ao conhecimento de si... Uma sociedade livre da comida seria uma sociedade livre da doença, da velhice, da morte... Em um mundo sem matadouros ou criadouros, que não precisaria produzir alimentos nem cultivar campos, não haveria criminalidade nem pobreza, não existiriam guetos, guerras ou conflitos... nem assistentes sociais. Um mundo sem comida seria um mundo sem divisão ideológica, sem superstição nem religião. Seria um mundo sem crianças com fome, sem asilos, sem tribunais, hospitais ou cemitérios. Um mundo em que os recursos poderiam ser todos dedicados a realizar o maior sonho da humanidade...

Uma vez derrotada a indústria da morte e a economia do fiasco, que são materializações do próprio medo, o ser humano poderia reconquistar o seu direito de nascença e alcançar o fim supremo do seu existir: a imortalidade física.

Uma sociedade que deixar de acreditar na comida, livre da necessidade de comer, deixará para trás a obsessão ancestral da fome e todos os seus terrificantes corolários, para se encontrar diante de um inimigo ainda mais implacável: o tédio de não comer.

Será necessária uma longa preparação e uma nova educação. Uma humanidade zoológica, ainda assustada pelo espectro do tempo e convicta da inevitabilidade da morte, não pode se alimentar de outra coisa salvo de um alimento grosseiro, externo, mortal.

Alimentar-se do interno será a consequência natural de um diferente modo de pensar e de respirar, a passagem evolutiva do ser humano conflitado, governado pelas emoções negativas, ao ser humano vertical.

Aquilo que você chama Economia é, na realidade, pouco mais do que uma atividade de sobrevivência, nos países mais ricos inclusive. Mantém-se em pé a um preço inaceitável... Uma sociedade que reconheça a potência criativa do pensamento, a sua capacidade nutritiva, produzirá bens e serviços mais elevados tanto para o individual quanto para toda a humanidade.

Uma sociedade que sonhar, leve, flexível, se dedicará à educação de cada indivíduo, ao aperfeiçoamento de cada uma de suas células.

Uma revolução assim não pode ser feita pela massa. É preciso educar a humanidade indivíduo a indivíduo, célula a célula, abri-la a uma nova visão, torná-la capaz de se rebelar contra seu destino e de combater dentro de si a verdadeira raiz de cada mal: a convicção de que o que está fora pode nos alimentar, de que qualquer coisa de fora de nós pode nos curar.

É um processo de dentro para fora. Somente uma nova educação poderá remediar uma incompreensão de tal proporção.

Não tenha receio de anunciar isso! A passagem será gradual e já está em curso nas nações mais ricas. A humanidade comerá cada vez menos!... Até que descobrirá que ela vive em um plâncton infinito, circundada por um alimento inesgotável que é somente seu, e pelo qual não deve nem se desgastar, nem lutar.

Não estou falando de viver sem comida, mas em substituí-la. Quando houver uma reversão da visão, quando, como uma luva, virar pelo avesso tudo aquilo em que acreditou até hoje, uma humanidade mais evoluída poderá substituir a comida por um alimento mais inteligente; uma vez livre da necessidade hipnótica, da dependência da comida, o ser humano poderá escolher entre comer ou não comer; será uma 'opção'.

É a substituição de uma comida grosseira por um alimento sutil, interior. Será algo possível a todos os seres humanos quando eles não mais forem governados pela descrição do mundo que prepondera, mas por si mesmos, pela própria vontade... pelo sonho.

Os anoréxicos não são propriamente doentes, mas precursores de uma humanidade mais avançada, mais longeva. São os verdadeiros rebeldes da indústria da morte.

Não existem mortos por anorexia, são apenas vítimas de uma medicina primitiva e de um ambiente familiar não preparado para reconhecer neles os precursores do novo ser humano.

Você! Abandone os maus hábitos. Seja frugal!... Mas lembre-se: enquanto você não estiver pronto para tal ação, não ouse jamais fazer um jejum ou passar uma noite sem dormir. Serei Eu a lhe dizer quando você poderá reduzir um bocado da sua comida ou um minuto do seu sono... Serão necessários anos e anos de trabalho...

Não é a comida que envenena o ser humano, mas a sua convicção de ter uma imprescindível necessidade dela.
Até ascetas e santos falharam no objetivo de adquirir domínio e disciplina para a frugalidade, o que não significa a eliminação da comida, mas a libertação da sua necessidade, a superação da dependência.

Depender do interno,
depender de si mesmo, não é depender!
Significa governar!

Você descobrirá que templos científicos e organizações humanitárias, laboratórios farmacêuticos e indústria da alimentação, seitas ascéticas, spas de beleza, escolas de faquirismo e de austeridade, também eles, por desconhecimento, estão a serviço da morte; também eles alimentam e são alimentados pela economia do desastre. Sob a mensagem de bem-estar, felicidade e longa vida, inconscientemente persiste, empedernida, uma lealdade à morte a toda prova, e a mais intensa e devota das atividades a seu serviço.

Heróis, santos e benfeitores, e as instituições inspiradas neles estão, de fato, a serviço dessa humanidade, uma humanidade autodestrutiva. Eles mesmos são vítimas da própria incompreensão; não sabem que nenhuma ajuda real ou cura verdadeira pode vir de fora, e que somente o próprio indivíduo pode trazer solução curando a própria visão, reconhecendo em si mesmo a verdadeira causa de qualquer calamidade.

Em uma sociedade mais evoluída, filantropos e benfeitores desaparecerão, porque os seres humanos serão conscientes e terão feito esse reconhecimento. E, se existirem, serão então movidos por um falso altruísmo e por uma filantropia sem razão de ser, pois tentarão continuar dando existência à pobreza e à doença.

Curar o mundo significa curar a si mesmo. Sua visão do mundo cria o mundo. Pode parecer paradoxal a você, fora da lógica; todavia, o mundo é como você o sonha. É você que o faz adoecer, é somente você o responsável pelos conflitos que o devastam, pelas calamidades, pela fome, pela criminalidade. O seu retorno à integridade curará o mundo para sempre.

MANUAL ESCOLA DOS DEUSES
O mundo é como você o sonha

Entre sonho e realidade não existe nem distância nem divisão. Assim como não existe distância entre ser e ter, entre crer e ver. Aquilo que um ser humano sonha é já realidade. Precisa somente de um pouco de tempo para que se torne visível...

O sonho manifesta-se por meio do tempo. É a limitação da nossa percepção que precisa de tempo para ver. O tempo é para o ser humano um verniz mágico que revela aquilo que, de outro modo, permaneceria invisível a seus olhos.

Atrás de tudo aquilo que vemos e tocamos, para existir, deve haver o sonho... um mundo maravilhoso ou um mundo de dor deve ser sonhado para que se realize.

O sonho é a coisa mais real que existe... e atrás do sonho existe o corpo... As nossas células, os nossos órgãos... sonham!

Não existe um modo objetivo, fixo, igual para todos... O mundo é assim como você o sonha... Também aquilo que lhe parece negativo, destrutivo, é somente o reflexo de um sonho conflituoso.

Mude o sonho! É impossível deixar os trilhos da repetitividade, da recorrência, se não se muda o sonho.
Você deve abandonar seu destrutivo modo de sonhar.
Sonhe um sonho novo, aprenda um jeito novo de sonhar, um sonho em que o poder da vontade comanda, o poder do amor cria e o poder da certeza vence.
Seja mais sincero, mais honesto com você mesmo, e perceberá que atrás da sua falsa convicção de querer mudar sua vida, existe um secreto projeto de perpetuá-la assim como é.

O mundo é assim porque você é assim.

Sem guerra dentro, sem guerra fora

O mundo é o sonho que se materializa.
Os seus pensamentos criam a sua própria realidade pessoal.
O mundo é tão sadio, ou tão doente, quanto o é você mesmo! Somente você pode corrompê-lo, entupindo os seus órgãos, enfraquecendo-os! Também aquele que infecta o próprio corpo cria!... Inventa um mundo degradado que, com os seus eventos e as suas circunstâncias, é a imagem especular da sua corporeidade enferma, e ainda antes, dos seus estados de ser, dos seus pensamentos.

Os pensamentos são sempre criativos, em qualquer nível. O pensamento deriva do seu modo de sonhar e é a forma na qual você molda o seu destino.
O sofrimento, a pobreza e todos os conflitos do mundo, as perseguições e as chacinas são estados sonhados, obscuramente desejados

por uma humanidade que corrompeu gravemente o próprio ser e que não conhece o poder do pensamento.

Remova de si qualquer forma de hipnotismo, dependência, superstição. Não se apoie no conhecimento, fantasia ou profecia de ninguém. Saiba que não há poder lá fora que pode destruí-lo. Lá fora nada pode acontecer sem o seu consentimento. O mundo dos eventos e circunstâncias depende totalmente de você. Se você se integra, se você se torna unidade, o mundo estará seguro. Portanto, não se preocupe com o mundo, preocupe-se apenas consigo mesmo. É a única forma que você pode ajudar.

Sem guerra dentro, sem guerra fora. Esta é a lei.
Aprendendo a governar o próprio corpo, um ser humano pode governar o universo.

O incidente é a vida que chega com violência e, ao mesmo tempo, com compaixão, para fazê-lo ver aquilo que você não quer ver, para fazê-lo tocar aquilo que você não quer tocar... no seu Ser. Não existe nenhuma criminalidade fora de nós, exceto aquela que nós mesmos projetamos. Aquele incidente permitiu ao seu amigo reconhecer sua mentira, o latente racismo, e superar o conflito, a violência, que sempre a humanidade carregou dentro de si e finalmente torná-lo livre.

Veja só! Essa coisa escondida em uma sinuosidade do ser, essa mentira que cobre e esconde o egoísmo, o preconceito, a vaidade, o ódio racial, constrói aquele evento e é a verdadeira causa de todas as atrocidades do mundo.

O sofrimento, a pobreza e todas as calamidades... foram sonhadas, sombriamente desejadas e inconscientemente projetadas... Elas são a materialização, ampliada no pantógrafo, de sombras e monstros que o ser humano aloja na escuridão do próprio Ser.

Hoje, se você entendeu a lição, seguramente já é um homem mais sincero, mais livre. Com o tempo poderá reconhecer sua mentira... e um dia você também poderá curá-la.

Auto-observação é autocorreção.

Você é o único obstáculo para a transformação do mundo. Mude e você verá o mundo mudar sob os seus olhos! Cada átomo de clareza, de liberdade, de ausência de morte tomará forma no mundo e o liberará de todo o mal.
Qualquer viagem que o ser humano tenha iniciado, histórica ou mística, e qualquer êxodo, real ou lendário, sempre visou um único fim: conhecer a si mesmo! Conhecer a si mesmo o faz senhor de si mesmo e senhor do mundo.

Pensamento é Destino

Se o ser humano pudesse reconhecer o poder criativo do próprio pensamento, e se perseguisse a beleza e a harmonia com a mesma determinação e por tantos anos quantos dedicou à pobreza e ao sofrimento, poderia transformar o passado e o seu destino. O mundo seria um paraíso terrestre.

Você pode melhorar ou controlar a qualidade dos seus pensamentos somente se souber elevar a qualidade do ser. Para fazer isso, você deve estudar e trabalhar em uma Escola especial e aplicar os seus ensinamentos e as suas ideias em você mesmo.

O ser humano não pode 'fazer', a menos que ele entenda que todos os fenômenos externos não são nada além de dramáticos resultados de seus próprios estados internos e das suas atitudes.

Enquanto se deixar governar pelas circunstâncias externas, ele nunca será capaz de ver de onde vem toda a violência do mundo.

Qualquer coisa vinda do exterior do mundo é, por si só, inexistente, pois tudo respira com sua respiração, tudo é tão vivo quanto você.

Não há nada no Universo que não seja você.
Pensamento é Destino.

Existe uma fábula que todos conhecem como 'A Bela Adormecida no Bosque'. Mas seu verdadeiro título é 'A Bela no Bosque Adormecido'.

A única ajuda que você pode dar aos outros é despertar a si mesmo daquele sono ... Lentamente, a humanidade está trocando de pele... Um dia deixará de tatear as sombras do mundo, deixará de venerar a comida, a medicina, o sexo, o sono, o trabalho... Crescerá na sua consciência o valor da frugalidade até alcançar a integridade do ser, condição que assinalará o fim de qualquer mesquinhez, de qualquer catástrofe, de qualquer conflito. Será necessário tempo... porque humanidade é tempo.

Por ora estude, observe-se e conheça-se! E um dia você estará presente ao maior espetáculo do mundo: a integridade de você mesmo!

4
A lei do antagonista

A corrida

O corpo não pode mentir...
O seu corpo já é o de um velho...
Ao Meu lado não há lugar para aposentados!
Os órgãos servem para sonhar...
O corpo cria o mundo...
Até mesmo quem contamina o próprio corpo, cria...
cria um mundo contaminado.
O mundo é doente como você...
Tudo é conectado, nada é separado.
Uma priâmide organizacional está ligada à respiração de seu líder.
Um fio de ouro liga sua imaginação e o seu destino pessoal ao da sua organização e dos seus homens.

O seu ser corpóreo coincide com a sua economia, como foi para os antigos soberanos.

O rei é a terra e a terra é o rei.

Para poder avançar ainda que um só milímetro em direção à integridade,
é preciso virar de ponta-cabeça a nossa visão do mundo. Exige um esforço gigantesco.
Por outro lado, não existe bênção maior.
A conquista daquele milímetro de eternidade engole oceanos no mundo dos eventos.

Lembre-se: nada é externo!... Você é o único
obstáculo à sua evolução!
Não existe dificuldade ou limite
que não encontre
a sua origem em você mesmo.
Não existe ajuda que possa chegar
de parte alguma.
Você tem de fazer a sua própria
revolução individual,
baseada em você.

Um ser humano apontado para o alto, impecavelmente atento ao seu aperfeiçoamento, pode mover montanhas, encontrar soluções para situações aparentemente desenleáveis, transformar as adversidades em eventos de ordem superior.

Os guardas da Main Street

O mundo é assim porque você é assim.
Lembre-se sempre! Nada é fora de você... O mundo que você vê e toca é somente um efeito. Tem o seu sopro... vive se você é vivo e morre com seu morrer.
Um ser humano não pode se esconder... O mundo sabe! Revela-o!
A cada instante você pode evoluir ou degradar-se. Depende de você!
Cada pensamento seu, cada atitude, a menor contração do seu rosto comunica ao Universo inteiro o seu grau de responsabilidade, o seu grau de liberdade.

É isto que admiravelmente o coloca aí onde você está,
é isto que determina o seu destino,
a sua economia,
o seu papel no teatro da existência...

A lei do Antagonista

Não tema o Antagonista!
Sob a sua máscara feroz esconde-se o nosso maior aliado, o nosso mais fiel servidor.

A voz que você ouviu é o Antagonista que você carrega dentro.
Todas as coisas, da mais simples à mais complexa, da vida de um ser humano à vida de toda uma sociedade, todos os elementos em evolução encontram um poder 'aparentemente' adverso, um Antagonista que tem a força e a capacidade equivalente à amplitude de seu projeto.
O mundo é um efeito, uma projeção do seu sonho, mas também dos seus pesadelos. Pode

ser paradisíaco ou infernal. Onde e como viver... você decide.

Ame o seu inimigo

Sob a máscara do Antagonista, além das aparências, esconde-se, na realidade, o caráter do nosso melhor aliado.
Contrariamente àquilo que a humanidade crê, não é possível ser adversário de nada maior do que nós... O Antagonista nunca é superior às nossas forças!
Ninguém pode encontrar um Antagonista maior que ele mesmo, nem superior à própria capacidade de compreendê-lo e harmonizá-lo. Até o confronto entre David e Golias, além da aparente disparidade de forças, respeita as leis universais do duelo...
O único e exclusivo objetivo do antagonista, escondido em sua impiedade, é a vitória daquele a quem ele se manifesta...
O Antagonista tem todos os instrumentos e métodos à disposição para permitir a você re-

alizar seu sonho... É ele quem indica o caminho mais curto para o sucesso.

Ninguém no mundo pode amá-lo mais que o Antagonista.

A verdade de ontem não transcendida se degrada e se torna a mentira de hoje.

Perdoar o inimigo fora de você é a manifestação de uma vaidade e de uma incompreensão milenar.

O único inimigo está dentro de você. Fora não existe nenhum inimigo para perdoar e nenhum mal que possa prejudicá-lo. O Antagonista é o seu mais precioso aliado, um instrumento para melhorá-lo, aperfeiçoá-lo, integrá-lo. A única chave de acesso à zona mais alta do ser.

O Antagonista, o inimigo,
é um propelente especial.

Quanto maior o nosso grau de responsabilidade mais impiedoso é o ataque do Antagonista.

O Antagonista mede-nos, revela-nos,
compreende-nos...

Quanto maior o nosso grau de liberdade,
mais sutil é a sua ação.
Não tenha medo do Antagonista!
Atrás da sua aparente impiedade,
esconde-se o seu maior aliado,
o seu mais fiel servidor.
O único objetivo do Antagonista
é a sua vitória…
Todos os artifícios e estratégias
usados pelo Antagonista
visam apenas a um fim: a sua integridade.
Ninguém no mundo pode amá-lo mais que o
Antagonista.
Você é a única razão da sua existência.
Não tenha medo do Antagonista!
Sua perfeição crescerá com sua impiedade.
Sua imortalidade, com sua aparente
imoralidade.
Sua inteligência crescerá com o seu poder.
Seu poder, com a sua inteligência.
Porque o Antagonista é você!

Aprenda a sorrir dentro

Aprenda a sorrir internamente enquanto é atacado, enquanto a ofensa se manifesta em toda a sua crueldade... O Antagonista deve ser combatido fora e, simultaneamente, perdoado dentro!

O perdão só nasce dentro de você.
Fora, você até simula, interpreta impecavelmente o combate mais obstinado, mas sem acreditar nele!
Ame o seu inimigo é uma ideia superior que pode ser compreendida e aplicada somente por um ser humano íntegro.
Somente aquele que extirpou de si conflitos e divisões pode prescindir do Antagonista.
Para quem tem uma lógica dual, para quem ainda vê e pensa através dos opostos, a cura só pode se apresentar com a máscara feroz do Antagonista.

A atitude de um líder diante das dificuldades deve ser esta. Um líder sabe que, por mais terrível que o Antagonista possa parecer, a luta é sempre em igualdade de condições e as dificuldades são somente aparentes. Atrás da máscara do Antagonista, atrás da sua aparente brutalidade, esconde-se a entrada aos mais altos níveis de responsabilidade.

Uma impossibilidade sempre abre as portas à possibilidade seguinte.

Homem ou evento, o Antagonista tem a ingrata missão de revelar cada vazio, cada falta, fraqueza ou medo que você carrega dentro de si; de denunciar sem nenhum compromisso a sua falta de preparo, as imperfeições, as culpas, os limites que você mesmo erigiu.

Os mestres que mais odiamos são aqueles que nos deram mais.

É como pedir para viver neste planeta evitando a lei da gravidade.

O ser humano poderia escolher as influências sob as quais viver, e confiar no poder de qualquer coisa que se encontre mais acima, mas ele vive na dor e por isso não sabe nada da Arte de Sonhar!

Sofre porque não sonha...

Por intermédio da Arte de Sonhar, um ser humano pára de sofrer, pára de morrer.

Somente quem parou de se matar dentro tem direito às revelações inefáveis do Antagonista. Por enquanto, aprenda a considerar o antagonista o seu melhor aliado... e deseje que ele seja cada vez mais feroz e aguerrido.

Quanto mais alto o nosso grau de responsabilidade, mais feroz será o ataque do Antagonista. Essa visão, com o tempo, mudará completamente a sua vida e criará o mundo que você sempre desejou.

Isso, que aparentemente se contrasta com você, opõe-se a você, é somente um revelador, uma flecha luminosa apontada para a verdadeira causa de todos os seus problemas e de todas as suas dificuldades. O Antagonista é você! Se pudesse aproximá-lo dessa compreensão, o jogo seria revelado e desapareceria; o Antagonista perderia os seus contornos, a sua aparente maldade, o seu poder. O Antagonista é, na realidade, um sinal apontado para tudo aquilo que você deveria mudar em você, tudo aquilo que você não quer ver, tocar, sentir em você...

O ser humano, assim como é, não pode escapar da lei que governa o mundo dos opostos, para o qual tudo acontece e se cria por intermédio do conflito, do jogo dos contrastes.

O que tem a ver você com a salvação do mundo, quando tudo aquilo que o mundo precisa é salvar-se de você!

Por enquanto encontre sua dor, seu sofrimento, e permaneça ali.

Não fuja.

Observe-se e coloque a nu as suas raízes.

Somente quando você estiver livre da descrição do mundo poderá livrar-se do mundo.

O mundo inteiro, o seu modo de pensar e

fazer, as suas precárias condições e o perigo estão refletindo a sua própria divisão interior.

Somente você,
vivendo permanentemente no 'Aqui e Agora',
pode liberar o mundo de todos os opostos.

Somente você,
abandonando os seus conflitos internos,
libertará todas as contradições, violências e
guerras.

O ser humano esqueceu de ser o criador da própria realidade e é isto que torna indispensável, simbiótica, a ação do Antagonista na sua vida.

Reverta a sua visão! Imponha-se a liberdade.
Transforme-se no homem que sonha, que
cria, que ama!... O Antagonista encontra
apenas quem decidiu
vencer a si mesmo.
A queda não tem antagonismos, é livre e
indolor.

A suíte no St. James

Estilo é consciência...
Invista tudo aquilo que tem, e também aquilo que não tem, em si mesmo... sempre!
E verá sua vida se enriquecer e se ampliar em todos os sentidos.
Se você aposta em si mesmo, a vida apostará em você.
Não se preocupe com o dinheiro, mas com você mesmo, com a sua integridade.
Quando o dinheiro for necessário, estará bem aí, na sua frente.
Confie em você.
Confie no seu sonho, e você terá todo o dinheiro necessário que corresponderá a uma bela vida.
A obra-prima do seu verdadeiro sonho é... você.
O mundo exterior é só uma sombra esmaecida da sua criatividade interior,
uma manifestação muito pálida da sua unicidade.

MANUAL ESCOLA DOS DEUSES

Antes que o galo cante

Amar-se dentro é um ato de vontade,
significa 'conhecer-se'.
Amar-se dentro significa celebrar
incessantemente a vida na sua totalidade.
Olhe-se dentro e conhecerá seu destino!
Se quisermos mudar alguma coisa,
só poderemos fazê-lo elevando o Ser.
O destino de um homem,
de uma organização, de uma nação ou
de toda uma civilização
e a sua Economia são a projeção do seu Ser,
da sua visão.
Quanto mais ampla é a visão de um homem,
mais rica é a sua realidade.

O jantar com o Dreamer

O ser humano real não pertence a nenhuma filosofia, ideologia ou religião.
Um verdadeiro sonhador não tem etiqueta.

Não pode pertencer, não pode ser compreendido...
Ele sabe que o Antagonista chega apenas para nos permitir superar os nossos limites...
Por isso, bendiz cada aparente obstáculo, cada aparente adversidade...
Se um dia, passeando num jardim, você pisar em um espinho, nunca se esqueça de agradecer.

O administrador desonesto

Elogiar o administrador desonesto é o vagido de uma humanidade curada de qualquer ferida interna, de uma humanidade que se perdoou dentro, que venceu sem precisar combater... porque não há mais necessidade da benéfica e terrível intervenção do Antagonista.

Ao longo dos séculos, o comportamento desse patrão desconcertou os estudiosos mais doutos da Bíblia, e desafiou gerações de sábios, teólogos e exegetas.

O ser humano descobre a proatividade, a gestão do instante e a transformação de cada ofensa como um benefício próprio, de cada insulto como propelente para sua viagem...
E oculta o mapa desse tesouro em uma pequena história de profundidade insondável.
Sintam-na nas vísceras, a ofensa!
É ali o campo de batalha...
É ali que se decide a vitória...
O segredo é vencer antes de combater.

A vítima é sempre culpada

Aparentemente, neste planeta tudo é mantido equilibrado pela lei dos opostos: para tudo há um oposto pelo qual existe e é contrário.
A vida dos indivíduos, como a das nações e de inteiras civilizações, parece ser inflexivelmente governada pela lei dos opostos.
Todos sabem da existência de uma força que se interpõe entre os próprios desejos e a sua realização...
a presença de uma espécie de atrito universal.
Se você quiser fazer alguma coisa na vida,

você tem de conhecer a força adversária que os seres humanos chamam de o Antagonista.

Existem, porém, alguns segredos que dizem respeito ao Antagonista que somente poucos conhecem.

O Antagonista mede-nos.

Mede o nosso 'AIM',[1] o nosso objetivo, a amplitude do nosso sonho. 'AIM' é o anagrama de 'I AM' = Eu sou.

$$AIM = I\ AM$$

Ninguém pode ter um propósito maior que seu poder de sonhar. Um ser humano comum pode sonhar um apartamentozinho, um outro sonha uma casa na praia, mas somente um rei pode sonhar Versalhes. A amplitude do próprio ser determina para cada um o limite máximo do que pode pedir à existência e o ápice de cada um de seus desejos. Ao mesmo tempo, é também o limite de tudo que ele pode receber e possuir.

O Antagonista é a medida mais precisa da amplitude do nosso pensamento, do

---

1 Objetivo, em inglês. (N.T.)

nosso sentir. Por isso, nunca é superior às nossas forças.

Por quanto possa parecer terrível, ameaçador, imbatível, o confronto com o Antagonista é sempre um duelo e as forças em jogo são sempre equivalentes.

Só aparentemente o ser humano se confronta com obstáculos externos, com inimigos e adversidades fora dele mesmo. Na realidade, o Antagonista é sempre a materialização de uma sombra, de uma nossa parte obscura que não conhecemos, que não queremos conhecer.

Quando se manifesta sob forma de ataque, adversidade ou problema, ficamos surpresos. Na verdade, inconscientemente, durante muito tempo, o mantivemos escondido dentro de nós. A nossa desatenção permitiu que o que antes era apenas um pequeníssimo sintoma tivesse tempo de se tornar agudo e, pela nossa incapacidade de reconhecê-lo e intervir, resultasse em uma ameaça concreta.

Por isso uma humanidade mais atenta que

cancelar do próprio ser o vitimismo e a autocomiseração escreverá em letras garrafais nas salas de seus tribunais:

A vítima é sempre culpada!

O oposto é um fragmento, uma parte que se dividiu, que se distanciou da totalidade... O aparente Antagonista é a moeda de prata que a mulher perdeu... é aquela ovelha que se extraviou do pastor...

Quem não consegue reencontrar a sua integridade, quem não consegue reintegrar aquele átomo do ser deverá encontrá-lo fora de si, monstruosamente agigantado, como limite, obstáculo ou adversidade.

A nossa incompletude produz monstros no mundo externo.

Nossa divisão cria a violência que depois encontramos.

Somos nós o Antagonista...

Sentir-se separado dos outros é o efeito de uma psicologia desintegrada que alimenta uma criminalidade interna. Um dia esta se manifestará no mundo dos eventos com violência, atentados, conflitos e perseguições.

A Shoah[2] não foi um incidente da história, nem o efeito da impiedade de um regime, de uma nação, ou, ainda pior, de um homem, de um tirano. Foi a materialização da visão de um povo que ainda não se perdoou dentro, a imagem especular de um pensamento dividido, conflitado, que é a verdadeira causa dos campos de concentração, das deportações, dos extermínios e de cada desumana crueldade.

O único inimigo está dentro de nós!... Fora não existe nenhum inimigo para odiar ou perdoar, e nenhum mal que nos possa prejudicar.

O inesperado sempre precisa de uma longa preparação... de um longo período de incubação no

---
2 Extermínio dos judeus, em iídiche. (N.T.)

Ser, nos nossos estados. Por isso... reconheçam o Antagonista dentro de vocês... harmonizem-no... restaurem a integridade...
Reintegrar-se significa perdoar-se dentro.
É a parte que se conecta à totalidade...
é o retorno do filho pródigo,
é o ame o seu inimigo...
A vida, então, dirá a vocês sempre sim... Terá por vocês uma constante generosidade que os outros chamarão sorte.

> Se você acredita no mundo externo como
> algo real, então você está perdido
> e destinado a fracassar
> em tudo o que fizer.

Os homens proativos entram nas partes mais obscuras do próprio ser e combatem as sombras, os fantasmas, os medos internos antes que possam se materializar e, um dia, apresentarem-se como adversários.
Qualquer coisa que chegue do externo deve ser transformada. Remeta eventos,

fatos, incidentes, circunstâncias e relações a um lugar dentro de você em que sucata e lixo possam ser transformados em uma nova substância, em uma nova energia, em uma nova vida.

Essas são as vias para tornar concreto o próprio sonho. O sacrifício de Efigênia ou de Isaac, a viagem de Ulisses, a batalha de Arjuna, as tentações de Cristo continuam transmitindo o segredo de vitórias criativas obtidas por seres capazes de superar o antagonista interno, o único verdadeiro obstáculo à concretização de cada uma de nossas aspirações.

A verdadeira doença do ser humano reativo é estar sempre fora de casa... fora de si. Para ele, o mundo interno não existe e do externo fez um ídolo a propiciar, um fetiche a ser adorado e do qual depende.

Nunca espere nada de ninguém.

A verdadeira liberdade não se pode doar. Um ser humano deve conquistá-la, desejá-la fortemente, e a qualquer preço. Só então poderá obtê-la!

No meu mundo não há espaço nem para um átomo do horror, da indolência de vocês. Tudo aquilo que se é, tudo aquilo que se tem deve ser abandonado e transcendido... para ser e ter mais.

Aquilo que vocês não entendem pelas Minhas palavras a vida lhes explicará com suas leis e seus instrumentos de cura. Restituo a cada um, portanto, a sua liberdade de sofrer, degradar, adoecer, envelhecer e morrer...

Atrás da máscara do envelhecimento esconde-se a mentira de vocês. Abandonem tudo que acreditam ter, coloquem outro alguém no seu lugar...

Deleguem as suas funções aos seus administradores!

Abandonem esses papéis!

Façam-no intencional e voluntariamente, antes que seja a vida a impor-lhes isso.

É tempo de sonhar um novo sonho, de sonhar um novo mundo....
Dediquem-se plenamente ao Projeto.

Os ingressos

Você procurou todas as maneiras possíveis para confirmar a descrição do mundo... para reforçar a sua convicção de que as coisas são realmente assim, que é impossível fazê-lo...
Uma vez que sua tentativa foi precedida de resignação, de não acreditar que os ingressos já estavam lá esperando por você, antes mesmo de bater à porta, para dar razão à sua profecia de falência, para que pudesse honrar sua promessa a si mesmo...
A promessa de chegar diante de Mim derrotado, mas com a presunção de ter feito todo o possível para conseguir ser bem-sucedido no intento.
Acreditar naquele homem ...
faz parte da sua obediência cega à voz do mundo...

A partir daquele momento em que você aceitou que era impossível encontrar nem que fosse um único ingresso, para encontrá-los, você teria que mudar o seu passado. Você aceitou a descrição do mundo e trabalhou não mais para vencer, mas para justificar o seu insucesso.
É a história da sua vida... um insucesso anunciado.

Isso não foi um insucesso, mas o resultado de um insucesso, o reflexo de uma falência interna, de uma condição do Ser.

Não existem fracassos na vida, só efeitos.

Quando lhe pedi para encontrar os ingressos para 'Os Miseráveis', já sabia que 'Você' jamais poderia encontrá-los!
Para encontrá-los, você teria que sair da rota do seu destino... Encontrá-los teria modificado você para sempre!

Você é ainda um homem hipnotizado pela descrição do mundo. Para você o mundo é a verdade!

Se você tivesse sido capaz de se manter fiel ao 'sonho'...

A bela no bosque adormecido é o sonhador dentro de você que sabe que o sonho é a coisa mais real que existe...

Para não se deixar corromper, você teria de ter vencido em si mesmo a consciência de escassez, a conflituosidade, o vitimismo, o sono hipnótico que faz de você um ser dependente, medroso, vacilante, infeliz...

A fé inabalável dos homens na descrição do mundo é a origem da fragilidade de cada um, a explicação última dos fatos das suas vidas e do papel que cada um deles assume no teatro da existência...

Também a doença é uma mentira que nos foi contada pelo mundo! Adoecemos porque a doença nos foi descrita e, assim, envelhecemos e morremos, por imitação, sem jamais colocar em discussão essa realidade.

O ser humano comum não sonha;
obedece cegamente a uma narração hipnótica
da existência. Esqueceu a sua unicidade, a sua
natureza de criador,
porque não tem acesso a si mesmo, não se conhece!...

    Tudo o que você sonha acontece.
    Se você começar a se conhecer,
você entenderá por que o mundo é como é.

Agora você sabe por que o mundo é assim..!
Porque é assim que você o sonha!

No teatro com o Dreamer

O espetáculo desta noite, Os Miseráveis, além
da sua oitocentista pateticidade, contém uma
grande lição sobre o Antagonista.
É uma parábola universal que tem a ver com
toda a humanidade. É a narração de um
homem que não sabe perdoar-se dentro...
como você!

Javert... Valjean, até os nomes são assonantes... Eles são a mesma pessoa. Quando finalmente ele se perdoa dentro... quando salva a vida de Javert... quando harmoniza os opostos dentro de si, então fica pronto para um Antagonista mais inteligente e potente.

O velho Antagonista, superado, compreendido, não tem mais razão de existir... desaparece... se mata. Na verdade, nunca existiu senão como a materialização de uma sombra, de uma incompletude do seu Ser...

O único inimigo está dentro de você! Fora não há nenhum inimigo a quem acusar ou perdoar, e nenhum mal que possa prejudicá-lo...

Não tenha medo do Antagonista.

É ele seu melhor aliado.

É ele quem lhe indica o caminho mais curto para o sucesso. O único objetivo dele é sua vitória.

Preocupar-se, duvidar, sofrer são a ocupação de quem não sonha, de quem não ama, a ocupação daqueles que são hipnotizados pelo mundo da racionalidade, pelo mundo da superstição. São os sintomas de um processo psíquico fragmentado, manifestações de uma queda no ser que prenuncia os desastres, as falências e as derrotas já em marcha no mundo dos eventos.

Onde quer que se encontrem, por poucos instantes ou por anos, os seres humanos dispõem-se sobre planos diferentes de uma pirâmide invisível, respeitando uma ordem interior, matemática, tal como hierarquias planetárias feitas de luminosidade, de órbitas, de massa e de distância do sol do sistema a que pertencem. Há graus e níveis de ser. É uma lei universal.

Crer e ver são uma só coisa, como o ser e o vir a ser. No tempo você verá tudo aquilo em que crê e perceberá tudo aquilo que sonha.

Para crer deve-se ser íntegro, impecável. A menor trinca no ser, a sombra de qualquer dúvida, faz você reentrar nas fileiras dos moribundos, dos derrotados, dos milhares de seres que abdicaram dos seus direitos de autor, aprisionados no inferno do ver para crer...

Cada ser humano é um criador...

O mundo é uma goma de mascar...

Tudo o que você sonha, acontece...

Crer para ver é a lei do criador, do sonhador, é a lei que governa, é a irrefutável lei do rei. Crer pertence à arte de sonhar e é a qualidade íntima do sonhador. Na raiz do crer há criar...

O sonho é a coisa mais real que existe...

5
Adeus, Nova York

Pelas ruas de Manhattan

> Tudo está conectado a tudo e nada
> está separado.
> O nosso nível de ser cria a nossa vida
> e não ao contrário.

São os homens e as mulheres que estudam, ensinam, trabalham, fazem filhos, educam-nos, projetam e constroem estradas e arranha-céus, escrevem livros, fundam igrejas, ocupam funções privadas e públicas, mesmo nos mais altos níveis...

Todos sob hipnose. Caminham às cegas no sono, permanentemente lacrados em uma bolha de esquecimento e infelicidade. Depois de ter 'visto' o jogo, você não pode mais fazer parte.

No microcosmo tudo é lento. Há obstáculos, limites, prioridades a respeitar. É o domínio do tempo; os homens prosseguem em fila indiana como sobre uma linha. A ultrapassagem é impossível. Dedique-se ao Ser... Somente dentro de você, com os olhos fechados, você poderá voar, sonhar... transcender o plano do comum e ir além.

O verdadeiro agir é o 'não fazer'...

Se perder um milímetro de ignorância, você sentirá tremer os alicerces da pirâmide dos negócios e os templos das finanças com os seus exércitos de escravos e sacerdotes.

Para mudar a natureza dos eventos é preciso mudar nossa visão.

Um dia, o universo material se tornará nossa obra-prima, a imagem especular da vontade exumada, perfeita materialização da Arte do Sonhar.

Os instrumentos do sonho

Pise fora da dimensão do tempo no seu cotidiano o mais que possa.
A auto-observação é a cura...
No momento em que perceber que você não está presente, você estará presente...

Pela auto-observação, uma pessoa entra nos meandros mais escuros do seu ser. Somente aí poderá realizar uma verdadeira transformação, encontrar um real significado para sua existência.

Se você eleva a vibração do seu corpo, todo o mundo será elevado a uma frequência em que qualquer discussão, divisão e guerra desaparecerão para dar lugar à harmonia, à verdade e ao belo.

Reduza internamente as limitações. Assuma que você é a verdadeira causa de tudo e de todas as coisas, e inunde o Universo inteiro com a sua luz interior de vida e poder.

Um dia você saberá como se faz para transformar o mundo, para elevar o seu nível de responsabilidade por meio dos instrumentos do sonho: pensamento e respiração.

O mundo se modela com o seu grau de responsabilidade. A amplitude da respiração de um homem corresponde ao seu grau de responsabilidade e determina tudo aquilo que pode possuir e fazer...

Você pode possuir somente aquilo pelo que você é responsável.

A mentira

Não busque certezas fora ou nos olhos dos outros.

Não se faça de corajoso.

A verdadeira coragem é a vitória sobre a sua própria mentira. Deixe esses esportes e as ações temerárias a quem ama os próprios medos e deles dependa.

São atividades que só fazem por reforçá-los.

Alguém como você, agora, é uma mentira em um pulmão de aço.

Se quiser ampliar sua vida, você não precisa se expor a situações radicais... Amplie a sua visão, as suas ideias e os seus pensamentos pelo poder da seriedade e da sinceridade e, assim, não haverá nenhuma batalha da qual não sairá vencedor.

Um dia, para vencer os seus medos, você não mais precisará enfrentar oceanos nem praticar voos acrobáticos. Desaparecida a mentira, você entrará no poder do agora com a máxima simplicidade, porque viver no aqui e agora é o único estado natural, heroico, imortal do homem.

A mentira esconde-se debaixo de inúmeras máscaras.

A obesidade é uma delas.

Atrás da récita macabra do humorismo e da generosidade tão frequentes nos obesos, esconde-se a renúncia pela vida, a tentativa de suicídio.

É o sinal de enfraquecimento da vontade de todo um povo... Uma civilização dependente da comida está eliminando-se. Até na própria Economia, como sombra do ser, se refletirá essa dependência, esse ofuscamento da vontade.

Em pouco tempo se enfraquecerá e será engolida por predadores mais velozes, por sociedades mais íntegras.

O seu destino físico está intimamente relacionado ao seu destino mental, emocional, financeiro.

Não se deixe levar!
Você está pegando emprestada a autopiedade da humanidade que a usa para se esconder e se perpetuar.

Sua vaidade o faz acreditar estar curado e já poder fazer algo pelos outros...
Deixe que ajude o mundo quem já se separou dele. São instituições que têm o fim de se perpetuar. São especializadas em obter fundos e recursos que, depois, dispersam e desperdiçam, mal conseguindo sustentar a si mesmas.
Se você levantar a cortina de fumaça da filantropia, poderá descobrir que atrás de sufragistas e exércitos da salvação, de ajudas médicas, farmacêuticas e de assistência alimentar há o crime mais feroz e a mais intensa das atividades contra o homem...
Não se perca em lamentações ou beatices.

Ninguém pode fazer algo no lugar do outro.
Cabe a ele, apenas a ele, aproveitar a oportunidade.
Tudo acontece por uma razão e um propósito, e está a seu serviço... ao seu!
Quem, em si, ainda não superou a mentira, quem não é consciente da autossabotagem

que continuamente acontece dentro dele não pode fazer nada por ninguém.

O ser humano morre porque mente.

Adeus, Nova York

Ninguém consegue sozinho.
Por depender de um emprego, você por anos precisou recitar um canto de dor, precisou abdicar-se da sua liberdade mandando sinais de decadência e impotência; acreditando estar se protegendo, você reforçou o esquecimento e o limite.
Agora você deve fazer um percurso ao contrário, um retorno em direção à liberdade.
É um processo longo de eliminação, simplificação e alívio do ser.

Dance, dance, dance sem parar!...
Celebre a existência, ame-se dentro!...
Observe-se! Dedique atenção ao Ser!...

Verá que tudo aquilo que na sua vida é real permanecerá, e tudo aquilo que é ilusório irá embora para sempre.

O conhecimento é um bem inalienável que sempre lhe pertenceu... sempre esteve dentro de você. Como a felicidade, a prosperidade, a vontade, a unidade do Ser, e qualquer coisa que você procure – Deus ou dinheiro –, assim o conhecimento não pode vir de fora, do externo. Ninguém pode dá-lo a você; pode somente ser recordado.
O emprego não é a afiliação a uma categoria social ou contratual, mas a um baixo grau na escala do Ser.

Um homem depende porque é baixo o seu nível de responsabilidade interior... Empregar-se é somente o reflexo de uma condição infernal do Ser.
Quem ama não pode depender...
Amar e ser livre são uma coisa só.

Um dia você compreenderá que você é o artífice e não o manufaturado,
o sonhador e não o sonhado,
o criador e não o criado...
que tudo está a seu serviço.
Então não poderá mais depender!
O mundo é assim porque você é assim, e não vice-versa.

Não se pode sonhar e depender

Seja independente, livre.

Seja um rebelde!

Um rebelde não depende de ninguém... e respeite a sua unidade.
A sua única razão de ser é concretizar o seu sonho. A isto dedique a sua vida e cada átomo da própria energia.
Não se pode sonhar e depender.
Pode-se sonhar e servir.

Servir não é depender.
Servir significa governar a própria vida e a dos outros.
É a ação de quem ama.
Somente quem ama pode servir.
Quem não ama pode somente depender.

Conformismo é mediocridade.

Um futuro de segunda mão

O nosso nível de Ser cria a nossa Vida.
Um ser humano não pode se esconder.

Cada pensamento, emoção ou ação é registrado indelevelmente no seu Ser, do qual este é, ele mesmo, o guardião iludibriável e justiceiro. É isto que determina o seu destino. Um ser humano pode iludir-se ao fugir, ao mudar sua vida modificando as condições externas, mas, além da aparente diferença das situações, estará sempre situado no mesmo ponto da escala, ali onde o coloca o seu grau de responsabilidade, de integridade, de amor.

A maior ilusão da humanidade é a ideia de ter um futuro. Um ser humano comum na realidade não tem futuro. Além das aparências, ele encontra sempre e tão-somente o seu passado. Eventos, encontros, circunstâncias se repetem e recorrem na sua vida; sempre os mesmos, só ligeiramente camuflados.

E, todavia, cada um se ilude, acreditando que os eventos da sua vida são inéditos, novos, criados especialmente para ele, jamais acontecidos antes. Aquilo que um ser humano vê à sua volta... a realidade externa a ele é o passado. Aquilo a que você chama presente na realidade não é uma transmissão ao vivo.
Para que pudessem acontecer, receberam o seu assentimento em uma outra dimensão, no mundo do Ser, nos seus estados. Os eventos são estados de ser solidificados,

tornados visíveis pelo tempo. Enquanto você assiste a eles e é envolvido por eles, pode acreditar que se estão verificando sob os seus olhos, pode ter a ilusão de serem novos e de estarem acontecendo pela primeira vez; na realidade, são apenas a projeção do seu passado, que se repete com apenas algumas pequenas variações.

Isso que o ser humano chama futuro é o seu passado visto de costas. A única possibilidade de reger a própria vida é no 'aqui e agora'... Somente governando o instante suspenso entre o nada e a eternidade um ser humano pode fazer, pode merecer um verdadeiro destino, modelá-lo e criar eventos de ordem superior.

O jantar com o xeique – Fuga na doença

Você é o único e verdadeiro obstáculo, o maior inimigo da sua evolução e a única causa de todo e qualquer insucesso seu. Muitos anos de observação e muitos esforços lhe serão necessários antes de perceber que aquelas circunstâncias adversas que pareciam objetivas, externas, independentes da sua vontade são, na realidade, criações suas. Os obstáculos que você encontra são a materialização de um hino interno de dor que sempre se ergue das partes mais escuras do seu Ser.

A aranha e a presa

Cada movimento seu, pensamento ou palavra, denuncia a sua disposição em encurvar-se. Secretamente espera falir, adoecer e deixar de lutar contra o mundo hostil.

Como milhões de seres humanos, você está dirigindo a luta para fora de si. Por isso você se abandona à derrota e aspira a envelhecer e morrer...

Já o fez por várias vezes.
É tempo de parar... para sempre!

Alguém como você, na obscuridade da inconsciência, prepara os seus desastres, frequentemente arma a si mesmo emboscadas, reforça as próprias prisões, confecciona e embala cada dor, fatalidade, acidente ou doença com tanta habilidade e minuciosa atenção em cada particularidade que pode-se considerar a sua uma verdadeira arte, uma arte lúgubre, inconsciente, como a de um monstruoso inseto que conspira nos abismos da Zoologia. Ali, onde o ser humano tragicamente é a aranha e a presa.

O ser humano é aquilo que compreende.

Um ser humano não deve procurar o paraíso. Não deve fazer nada para merecê-lo. A única ordem para a qual você é convocado é a de eliminar o inferno, a sua incompreensão.

O mundo é assim porque você é assim.

Cada passagem é a superação de si mesmo! Vigiando alguns mundos superiores, algumas faixas mais elevadas da existência, há seres monstruosos, inimigos milenares, terríveis e ilusórios como os seus medos. Um dia você deverá enfrentá-los...

O mundo é assim porque você é assim.

O cuco (esconde-esconde) da existência

Quando criança você brincava de esconde-esconde...
Assim faz a existência... 'Cuco'!
A existência vem encontrá-lo, onde quer que você esteja, e usa a máscara mais terrível para revelar o estado em que você se encontra.
Do que você tem medo?
De ficar pobre?
De ser abandonado?

De adoecer, perder uma propriedade ou o trabalho?

Aquela é a máscara que a existência usará para assustá-lo. Qualquer que seja o medo de uma pessoa, ele se materializa em eventos que ela deverá encontrar no seu caminho. Como reprovações em exames, mais cedo ou mais tarde você deverá novamente enfrentá-los, refazê-los.

Somente sob ameaça um ser comum pode encontrar a força de afugentar as sombras, os fantasmas criados pelos seus traumas infantis, pelos seus sentimentos de culpa. Um ser humano real não precisa disso... vive eternamente em um 'estado de certeza'.

Também o ser humano comum se sente seguro: as suas certezas são os seus medos, as suas dúvidas são a sua verdade. Ama-os e não se separaria deles por nada deste mundo. Desde a infância alimenta-se de medos ilusórios, come o fruto da sua imaginação negativa,

da sua criatividade ao contrário. Por isso, troca as sombras por adversidades reais e, assim, vive e sente-se sob constante ameaça...
Sinta-se seguro. Fora não existe nenhum inimigo. É sempre você, na verdade, quem ameaça a si mesmo.

As pessoas não se sentem nunca seguras. Mesmo quando uma pessoa é rica, e aparentemente não há o que temer, sente-se indecisa, num estado de constante instabilidade e insegurança; vive no medo, na incerteza, na dor... É a única ocupação que conhece, uma atividade que governa toda a sua vida.

Não existem métodos para sentir-se seguro; não existem portas blindadas, cofres ou casamatas, nem existem precauções que se possam adotar.

> Somente um verdadeiro sonhador
> pode sentir-se seguro.

Sonho é segurança.
Dúvidas, medos, sofrimentos
são ilusões,
realidade exclusive do ser comum.

Para estar seguro você tem de estar sem pecado... sem culpa...
Somente alguém capaz de mirar tudo sobre si mesmo, somente alguém que quer, pede e tenta mudar com todas as suas forças pode conseguir. E mesmo que aos olhos da humanidade comum ele pareça um temerário, que vive em alto risco, ou até mesmo um inconsciente, ainda assim o indivíduo guiado pela integridade e pela seriedade é constantemente acompanhado desse 'senso de salvação'.
Somente ele sabe que não está arriscando nada, na verdade.

Nos negócios, nas iniciativas aparentemente mais arriscadas, quem tem essa certeza não pode ser atacado, não pode errar. Qualquer coisa que toque se enriquece e se multiplica;

em qualquer circunstância, até a mais desesperadora, ele encontra sempre a solução. Os eventos e as circunstâncias dão-lhe sempre razão, porque ele mesmo é a solução.

> Sinta-se seguro permanentemente.
> Esteja seguro e sinta-se imortal
> imediatamente.

Ainda que o ser comum se sinta constantemente sob ameaça e com medo de alguém ou de algo, na verdade não existe nada nem ninguém que possa prejudicá-lo do externo. O mundo é a projeção, a materialização do nosso sonho, ou dos nossos pesadelos. O mundo pode ser um paraíso ou um inferno. Onde viver é decisão sua!

> Libere-se do medo!

Intrepidez é a porta para a certeza e a integridade. Nenhuma quantidade de esforço pode torná-lo destemido. A intrepidez vem por si só, quando você percebe que não há o que temer.

Atrás de cada dor, medo, dúvida, incerteza esconde-se um pensamento destrutivo; e atrás de um pensamento destrutivo existe a causa das causas: a ideia da inevitabilidade da morte. Essa é a verdadeira destruidora da humanidade... a origem de todas as aflições do ser humano, das guerras e da criminalidade nas civilizações criadas por ele.

A consciência de que essa semente de morte existe no ser humano aniquilaria para sempre a morte física da sua existência. A morte, as cercas do limite colocam o ser humano comum protegido da perturbação que o infinito lhe gera.

A partir de então, nada lhe parecerá mais familiar que o gosto agridoce do medo.

A garrafa

Em Nova York você vivia com uma garrafa de água sempre à mão.

Sua doença não é calculose, mas dependência. Os cálculos são apenas um sintoma, sinais indicadores para manifestar a verdadeira doença, para encontrar a via da recuperação.

Tirar de alguém ainda não pronto um problema ou uma doença é como desativar-lhe o sistema de alarme ou eliminar um providencial redutor de velocidade.
Se não estiver preparado, as consequências são imprevisíveis.
Poderia se ver em condições ainda mais graves que as anteriores.
Por isso um ser humano não pode ser ajudado do externo. Excluída uma doença ou uma preocupação, imediatamente deverá substituí-la por outra doença ou outra preocupação, muitas vezes ainda pior, restabelecendo, como uma perfeita máquina homeostática, as condições que lhe correspondem no Ser.

O medo é amor degradado

O medo é uma droga que sempre circulou nas veias da sua existência. Não é medo de algo... É somente medo. Agora você já se acostumou. As condições que um ser humano encontra no mundo dos eventos são úteis para lhe revelar do que ele tem procurado escapar, o que ele tem tratado de não ver dentro de si. O mal e a acidentalidade, para quem não tem uma Escola, são problemas. Para quem tem uma Escola, são instrumentos de trabalho para reconquistar a integridade perdida, e entender. Ao mesmo tempo, são sintomas, bips de alarme sobre sua verdadeira condição. Contrariamente àquilo que uma pessoa crê, primeiramente vem o medo, depois a escolha do que ter medo.

O abandono do medo é o primeiro passo em direção à integridade, à unidade do ser. Sobre o medo não se constrói nada, nem se pode acrescentar inteligência. A ausência de medo é a primeira lei do guerreiro. O medo faz você depender de um emprego e o impele a refugiar-se na doença, como você já fez no passado. Transforme o medo em oportunidade!...

O ser humano tem só dois sentimentos: o medo e o amor. Estes não são opostos um ao outro...
São a mesma realidade em planos diferentes do Ser...

O medo é o amor degradado.
O amor é o medo sublimado.
O medo é a morte dentro.
O herói é o homem em ausência de medo, em ausência de morte interna.
Herói... Eros, amor, a-mors significa imortal.

Quem não tem morte dentro não pode encontrá-la fora.
Herói é um grau da escala humana que não se obtém no clamor da batalha, mas em

solidão, vencendo a si mesmo. A batalha serve somente para tornar visível o que o herói já conquistou no invisível. Sua invencibilidade ou invulnerabilidade é simplesmente a prova dos nove de alguma coisa que já aconteceu no Ser, o teste de tornassol da sua vitória sobre a morte.

Externamente pode ser o início de uma estrada empresarial; interiormente é um primeiro passo em direção à superação de um estado de apneia, de uma condição limitada do Ser que você se permite há muitos anos.

O empresário já é um homem a caminho do sonho. É um rebelde capaz de colocar em jogo reputação e meios para modificar a realidade, para romper esquemas e equilíbrios preexistentes e criar outros mais proveitosos. Reunir outros seres, assumir a responsabilidade por isso, transmitir-lhes entusiasmo, contagiá-los com o próprio sonho são atitudes que se podem chamar características do empresário.

São qualidades do ser para atingir graus mais altos na escala da responsabilidade humana.

Pare de ser um mentiroso. Você é da pior espécie, aquela de seres que mentem a si mesmos, os hipócritas...
A doença não existe. O corpo não adoece nunca. Pode somente mandar sinais, produzir sintomas, para nos informar o que falta no Ser...
As doenças não existem; existem somente recuperações.
Toda cura é uma libertação do medo.

Uma vez livre da verdadeira causa, também os sintomas desaparecerão. Até agora você viveu como um dependente, e tem a doença dos irresponsáveis. Quem adoece dos rins tem medo e por isso depende. Adoecer dos rins significa que existem problemas de comunicação, primeiramente consigo mesmo e depois com os outros.

Exatamente por isso! Aqueles que adoecem dos rins são atraídos pela atividade da comunicação e se esforçam em equilibrar essa incapacidade, essa ausência de conexão, de compreensão... de comunhão.

Os seus medos fizeram da empresa que lhe paga um ídolo monstruoso que reflete a sua dependência...
você transferiu para fora de você o seu sonho...
você o trocou por um salário e por falsa segurança, reduzindo-se a um estado de escravidão...

Quem depende já está na cova até o pescoço.
A verdade é que, como milhões de pessoas, você já decidiu eliminar-se.
Viva a vida de um empresário... Comece a respirar as primeiras porções de um ar mais doce... Será útil para você colocar por terra as barreiras que o impediram de alcançar estados superiores de responsabilidade...

Remova os seus obstáculos internos que impedem seu crescimento e todos os seus problemas pessoais, sociais e econômicos se dissolverão.

Medo e dependência são a mesma coisa. Depende-se porque se tem medo, e tem-se medo porque se depende. Não existe guerra mais santa que combater e vencer esse limite... Supere o medo, arranque-o do Ser...
Você encontrará homens e mulheres que são células valiosas do Projeto.

A solução vem de cima

No mundo dos eventos, no mundo dos opostos, você não pode se encontrar com a solução. A solução não está no mesmo plano do problema.

A solução vem de cima e não pela linha do tempo.

É preciso saber como entrar no mundo das soluções. Quando você se eleva no ser, tudo aquilo que parecia nebuloso torna-se claro, e aparentes problemas que se apresentavam como montanhas insuperáveis revelam-se leves saliências...

Entre os hábitos mais nocivos e inveterados do ser humano encontra-se aquele de falar sempre em melhorar o mundo e acreditar nisso. A linguagem comum é cheia de palavras como evolução e progresso, mas tudo fica como está. Melhorar é impossível. Crer que se pode evoluir e melhorar faz parte das superstições da velha humanidade. É uma fé beata e cega.
'Melhorar' é a palavra de ordem de quem quer deixar tudo como está; de quem se permite um modo de pensar obsoleto, sem vitalidade.

Somente governando o instante suspenso
entre o nada e a eternidade,
a humanidade poderá modelar o seu destino,
criar eventos de ordem superior.

O mais importante primeiro!

Coloque diante de qualquer outra coisa apenas aquela que é mais importante de todas: o 'sonho', a sua evolução...

Quando você se recordar de Mim, um senso de discriminação emergirá... saberá com certeza o que fazer e o que não fazer.

Quando começar a se auto-observar, a se conhecer, tudo aquilo que é certo começará a acontecer, e tudo aquilo que não faz parte do sonho, tudo aquilo que é inútil, supérfluo ou danoso começará a se dissolver.

6
Na Cidade do Kuwait

Isto é Economia!

Colocar-se a serviço daquelas pessoas, trabalhar para o bem-estar delas, significa recordar constantemente os princípios do sonho...
Sua mudança as fará mais vivas,
mais responsáveis, mais livres.
Isto é Economia!
Curá-las, servi-las e amá-las é a tarefa de um verdadeiro líder.
Em uma organização, até a mais distante das células deve ser curada para que evolua e acelere seu progresso.

Esquecer o sonho

A religião com seus rituais de massa é ilusória...!

Esses homens estão fazendo o mesmo caminho que o seu.

Que creem em Maomé se ajoelham cinco vezes ao dia e oram para alcançar o mesmo objetivo que você.

Mas o paraíso em que creem nunca virá.

O paraíso é um estado de Ser...

O além é este mundo em ausência de limites.

Se você verdadeiramente quiser transformar seu destino em uma grande aventura, recorde-se dos princípios do sonho. O comodismo da humanidade ao se entregar a emoções negativas e pensamentos destrutivos é a verdadeira causa de todos os seus problemas.

Seja vigilante!

Não permita internamente a presença de nem mesmo um átomo de dor.

Use qualquer meio, mas feche logo qualquer ferida mortal que você tenha!

Faça a sua revolução!

Ou um dia você se verá em genuflexão junto àquela multidão, esperando propiciar uma divindade fora de você. Mude...

Ou deverei substituí-lo por alguém mais preparado!

Todo ser é o único artífice da realidade que lhe corresponde viver. O mundo é uma grande tela sobre a qual projetamos os fantasmas da nossa vida.
Além de nós não há nenhuma força, conhecida ou desconhecida, natural ou sobrenatural, que possa influenciar nosso destino... Qualquer evento da nossa vida, antes de se manifestar, deve ter o nosso consentimento.

Preocupar-se é animalesco

Pessoas como você, identificadas com a descrição do mundo, preocupam-se porque se esqueceram do aspecto miraculoso do Ser. Preocupar-se é animalesco!

Você ainda pertence a um mundo que acredita agir e escolher... um mundo em que se

fazem planos e programas... e no qual a emanação da existência passa inobservada.
O único planejamento que um ser pode fazer é desenvolver a si mesmo, alimentar o próprio sonho. Todo o resto lhe será acrescentado. O abandono de um átomo de medo move montanhas e projeta-o como um gigante no mundo dos eventos.

A programação é uma forma de exorcismo, uma fuga do real. O ser humano aplaca o medo do futuro com a falsa segurança das previsões, por intermédio de rituais de planejamentos e programas.
Diante da aparente falta de controle, da imprevisibilidade da existência, seres como você recorreram a fórmulas e regras, na ilusão de conseguir dobrar o Universo pelas lentes deformantes da racionalidade e substituíram-no por uma descrição mais confortável.
Mas nada disso jamais pôde aliviar a sensação da própria precariedade, aquela sensação de insegurança.

Programar é como cavar um poço e acreditar poder fazê-lo conter a imensidão de um oceano.

Esse escudo da fraqueza, essa couraça ilusória que o faz se sentir protegido, o tênue diafragma mental que você interpôs entre você e o real rompe-se e, de repente, o ser é colocado em frente ao abismo, ao ilimitado, à vida assim como é, e não como lhe foi descrita.

Não se esconda atrás da máscara de um papel! Diga: 'Eu, como posso fazer?'. Use-o intencionalmente, esse pequeno eu, e assuma a responsabilidade!

O universo ouve você. Sempre!... e o avalia também enquanto você faz uma pergunta.

Um verdadeiro líder planeja e programa, como fazem todos, mas sem acreditar nisso. Seu planejamento é uma récita que respeita ações e papéis de um roteiro teatral invisível.

Cada átomo é um átomo de criação; cada átomo é novo. Nunca houve um momento antes nem um momento depois deste instante... nem nunca haverá!

Tudo aquilo que você vê, e tudo aquilo que você não vê, é criado neste instante. Tudo acontece agora, neste instante eterno, na onipotência, no espaço infinito do seu ser.

O instante é território do sonho...

O planejamento do ser comum acontece no tempo e no espaço... cedo ou tarde se encurva e fracassa.

O sonho é uma planificação que acontece em ausência de tempo, na eternidade, em um tempo vertical...

Eu sou este instante... Este instante contém tudo aquilo que irei recolher no tempo: partículas, fragmentos de mim! Por isso, um sonhador não faz planos, nem se preocupa. Ele deixa que o sonho se exprima em toda a sua liberdade, em toda a sua beleza... Sabe que os resultados se produzem sem esforço, naturalmente, de acordo com seu grau de impecabilidade e de integridade.

No profundo do ser, você é um campo unificado de possibilidades ilimitadas. É aí que o seu sonho acontece. É aí que alguém, ou o necessário para criar prosperidade e sucesso na sua vida, aparece. É aí que o seu propósito de vida se torna claro.

Nas empresas e em todas as pirâmides organizacionais, quanto mais baixo é o nível de responsabilidade, mais é necessário planificar. Mais se desce em direção aos papéis subalternos, mais é forçoso programar cada detalhe, fixar e receber objetivos precisos.

Ali, todos os rituais de um processo de decisão são escrupulosamente seguidos, mas só por intermédio desses homens e mulheres não acontece nada.

A fuga é para poucos

Essas são sombras.
Ninguém até agora conseguiu transformar esta humanidade, conduzi-la à condição de uma nova espécie.

Somente uma Revolução Individual poderá
reverter o modo de pensar e de sentir
de milhões de homens e mulheres
enredados no sono hipnótico.

Ser escolhido é aquém da dignidade. Uma pessoa sonha seu trabalho e o escolhe segundo o seu objetivo, a sua predileção.

A evolução das massas é impossível!

Nenhuma revolução ou ideologia poderá conseguir isso. A fuga, a saída, é para poucos. Somente o indivíduo pode conseguir.
Aquela que você está observando não é a humanidade. Essa aglomeração que você vê não está fora de você. Aquela multidão que você está olhando é a sua degradação; aqueles seres aviltados pela dor, pela ansiedade da competição são fragmentos esparsos do seu Ser, o reflexo especular do desespero que você traz dentro de si.

Pode fazer somente por si mesmo!
Eles são você!

A sua mudança transformará a humanidade inteira...
Se quiser que esse sofrimento acabe, que a humanidade mude, cure a si mesmo.
Essa é a única salvação das massas.
O ser humano é ainda um Ser em transição, de psicologia incompleta. A evolução da espécie é uma viagem em direção à integridade; deve acontecer do interno para o externo por um processo de unificação que não se pode impor. Nisto todos os velhos sistemas falharam. Guerras e revoluções não conseguiram fazer isso.
A próxima passagem evolutiva do ser humano não pode acontecer em um futuro histórico, mas em um tempo sem tempo, em um futuro vertical.

As organizações do futuro serão
Escolas do Ser.

O business - os negócios - será a religião planetária, a religião das religiões. É no business, mais que nos conventos, nas mesquitas ou nos ashram, que os seres humanos estão empenhados num esforço titânico em direção a graus mais altos de responsabilidade. É no business que está acontecendo a transformação de adversidades e dificuldades em propelente para a viagem à liberdade. É nos grandes edifícios das multinacionais, nos templos das finanças, mais do que em sinagogas e monastérios, que os seres humanos estão tentando o impossível: modificar o modo de ver, mudar os próprios destinos.

Na missão que é a respiração da filosofia planetária da ESE, a singularidade do Trabalho e da grandeza do seu objetivo: preparar poetas do fazer.

Sonhar é o desenvolvimento de um mundo interno que faz você deixar de ser uma função da vida, um boneco mecânico do mundo externo das aparências. O objeto da Escola é a liberdade: liberdade de conflitos, sofrimento, divisão e morte.

O sonho é alguma coisa que o coloca entre você mesmo e a vida...

O ser humano comum pensa que a vida seja a causa, e ele, o efeito. Somente um trabalho sobre o ser, o trabalho de uma Escola de reversão, mudança total, pode produzir a transformação desta visão calamitosa de mundo.

O trabalho de uma verdadeira Escola é um trabalho de escavação, um trabalho de eliminação de escórias, estratificações e contaminação, em busca daquilo que um dia possuíamos, que nos fazia íntegros, felizes, imortais: a vontade.

A Escola e a Vontade são uma coisa só.

A Escola é a Vontade fora de nós.

A vontade é a Escola dentro de nós.

Quando a verdadeira vontade emergir, você não terá mais necessidade da Escola. Desenterrada a vontade, seremos donos de nós mesmos... Donos de nós mesmos significa donos do universo.

Debaixo de tudo e de todas as coisas existe algo precioso que nós deveríamos possuir por direito. É o contato com esse algo que nos permitirá possuir tudo e todas as coisas.

Programar sem crer

Por trás das grandes multinacionais, por trás dos gigantes das finanças mudiais e da indústria, por trás das aventuras corajosas e dos empreendimentos impossíveis além da realização humana, há sempre e somente um indivíduo e o seu sonho.

A sua única atividade é a cura da sua integridade. Aquilo que o torna especial é a atenção, um espírito vigilante que não permite a uma dúvida ou à sombra de um compromisso abalar sua determinação, que não permite um único átomo turvo entrar e contaminar o sonho.

Para a velocidade psicológica de um líder, programas e planos são instrumentos lentos demais, rígidos demais. Porque, para tomar decisões, usa um sexto sentido: a intuição, e um sétimo sentido: o sonho. Não há realmente nada a decidir.

Um verdadeiro líder faz programas, mas sem acreditar neles. Guia-o sua aspiração, crê somente na sua impecabilidade.

Não há objetivos fora de si mesmo, porque o objetivo é ele mesmo... sua liberdade!

> Comprometa a si mesmo
> com a integridade.
> Compromisso interno é investimento.
> É o seu compromisso que faz as coisas
> acontecerem.

É a incorruptibilidade do líder que atrai todos os recursos necessários: a solene promessa

que fez a si mesmo de honrar o jogo até o fim.
O sucesso de toda sua ação no mundo externo é somente o reflexo da sua integridade.

A realização das empresas nos limites do impossível, a criação de riqueza imensa, a fundação de impérios, é apenas uma extensão de sua essência, uma certificação do seu grau de liberdade interior, o seu nível de responsabilidade. Quando um ser humano mantém intacto seu compromisso, o sucesso é inevitável, é um produto natural.

Um líder de verdade sabe que o verdadeiro business é somente interno!

Ele é o guardião incorruptível da própria promessa.

É esta que deve manter intacta.

A ação mais potente à disposição do líder é um fazer ao contrário, o 'não fazer', um agir sem agir.

'Uma ação sem esforço':
Um estado poético, sonhador.

Para o líder, a solidão e a imobilidade são acumuladores de poder. É o estado no qual ele intui e atrai as valiosas mensagens da vontade e que, no ser humano, é ainda sepulta.
Seja sincero! Seja sincero e você a sentirá forte e clara... e saberá!
Do vazio, imóvel, movo a roda do Universo inteiro e os seres que se encontram sobre a circunferência, sobre os raios, sobre o meão. Aquele vazio no centro do meão é o verdadeiro criador da roda. Sobre aquela invisibilidade se apoia toda a pirâmide hierárquica dos seres que fazem parte do conjunto.

O Acting

Um líder deve saber interpretar todos os papéis à perfeição. Pode simular distração, ignorância e até mesmo negatividade, mas não deve acreditar nisso! Pode irar-se e tornar-se violento, pode transformar o rosto em uma máscara de agressividade, mas internamente não deve se sentir minimamente atingido. Esta récita da negatividade é a correta atitude de negação.

Por meio do acting um líder pode programar, pode planejar e fingir projetar-se no futuro mais longíncuo...

Mas sem acreditar nisso!

Um ser humano livre, um ser humano verdadeiro, sabe que cada momento exige uma estratégia, cada átimo possui seu estatuto próprio e impõe um script que interpreta à perfeição. Aqueles que estão conscientes da atuação escolhem entre diferentes e possíveis cursos de ação, como máscaras para vestir e se alinhar perfeitamente com as circunstâncias e os acontecimentos com que se deparam.

Somente um ser humano verdadeiro pode interpretar! Um ser comum, identificado com o seu papel, condicionado pelos seus medos e hipnotizado pela descrição do mundo esqueceu a arte de interpretar, o poder do *acting*, e conhece somente a mentira.

> Interpretar conscientemente
> não significa mentir.
> *Acting* significa viver
> estrategicamente!

Viver estrategicamente é a ação de um guerreiro que cumpre intencional e impecavelmente os atos que a situação requer. Externamente responde às exigências do papel e, ao mesmo tempo, internamente, apossa-se da responsabilidade e do poder que se escondem atrás daquela máscara. Somente quem vive estrategicamente pode conseguir isso!

Quando você se pré-ocupa, quando planeja e imagina negativamente, quando você se esquece do que o trouxe até aqui, você se reduz às dimensões de um inseto e o mundo toma as rédeas. Milhares de fotogramas registram

no Universo sua derrota e, não somente não poderá ter mais, e lhe será tirado até mesmo aquilo que acreditava ter.
O sonho é a coisa mais real que existe!

O sonho é a realidade em ausência de tempo.
Somente um homem que sonha pode criar riqueza.
Para o Dreamer, o sonho é um mundo sublimado, a verdadeira causa de tudo que vemos e tocamos.
O sonho é uma planificação vertical que somente um visionário pode conhecer... o depois não existe senão na imaginação... Internamente, cada instante é uma loja que se abre e se fecha, a cada instante se ganha e se perde, a cada instante é um sucesso ou um insucesso. Tudo acontece agora, neste instante eterno.

A agenda

Uma agenda cheia de compromissos, que não tem espaços, como a sua, é uma declaração

NA CIDADE DO KUWAIT

de suicídio. Significa assinar a própria morte. Quanto mais morto é alguém, mais ele preenche sua jornada de compromissos.

Deixe que o jogo continue, que a comédia se desenrole... permita que colaboradores e profissionais façam aquilo que os seus papéis preveem.

A empresa é uma representação teatral com máscaras e personagens que seguem um roteiro. Mas não acredite nisso! Não se perca!... Não se esqueça de que é um jogo.

Cada compromisso que você marca, cada encontro que você programa serve para reforçar a sua ilusão de estar vivo, para você se reafirmar nas suas convicções insensatas. Primeira dentre todas: a de poder planificar. Planificar e acreditar nisso é morrer. Somente aquilo que é morto se pode planificar. A verdadeira planificação é neste instante, no 'aqui e agora'...

Um líder poderá ter exércitos de colaboradores que fazem planos e programam em detalhes as atividades futuras, mas as suas decisões serão sempre fruto do instante. Até aquele momento ele não sabe, não age, até que o instante manifeste a sua eternidade. Somente então saberá tudo aquilo que deve saber.

Tudo estará à sua disposição quando você aprender a viver o instante na sua totalidade. Planos e programas acontecerão naturalmente, sem esforço, quando você deixar de acreditar neles.

Para homens como você, a agenda serve para esquecer.

Esquecer você mesmo.

O mundo é o desenvolvimento no tempo daquilo que sonhamos... Um compromisso é sempre consigo mesmo... Ou melhor, com parte de você, mesmo que você não a conheça. Pessoas e eventos surgem e se dissolvem seguindo um roteiro já escrito no Ser.

Quando você planifica e acredita nisso, está se distanciando do mundo real... Mais você se convence de que compromissos e encontros acontecem como programados, mais você reforça o seu senso de morte...

E assim você se vê com pessoas abúlicas, que planificam e programam como você, e iludem-se de estar escolhendo ou decidindo sem jamais reconhecer a própria impotência. Um dia, a sua agenda será a de um ser humano livre, a agenda de um ser que realmente faz porque sabe que tem a solução sempre consigo... que é ele a solução. Você interpretará os encontros e os papéis e deixará o mundo livre para acontecer... do melhor modo possível. O mundo se tornará a sua obra-prima, sem esforço ou pressão. Somente então a sua agenda será a agenda de um verdadeiro líder... terá só páginas em branco.

Alô, quem sou?

Ao telefone não responda: 'Alô, quem é?', mas sim: 'Alô, quem sou?'

Os outros são você! Os outros são você!

O mundo é assim porque você é assim, e não vice-versa.

Não fuja!

O visível serve para reconhecer o invisível. Os outros servem para revelar-lhe aquilo que você não quer ver em si mesmo... 'O que projeta em mim tudo isto?' Esta é a pergunta que dirige a si mesmo uma pessoa de bem!

A confusão está em você, não nos outros. O mundo manifesta-se duvidoso, caótico, irresponsável, para atestar o que você sabe, onde você está. A cada telefonema, quem quer que seja do outro lado, inevitavelmente você pergunta: 'Atrapalho?'.

É uma expressão que usam com você porque o sentem despreparado. O mundo, os outros, reflete você... é um espelho que reproduz a imagem de uma pessoa lenta, que fala muito e bravateia.

'Atrapalho?' significa a sua falta de responsabilidade.

'Atrapalho?' é porque você não oferece clareza. Atrapalho?' é o mundo que denuncia você.
'Alô, quem sou?' deve dizer, não 'quem é?'. 'Quem sou eu?'. Assim responde ao telefone quem entendeu que do outro lado encontra sempre a si mesmo!
'Alô, quem sou?' significa recordar que está encontrando a sua confusão.
O mundo quer ser governado! Quem lhe telefona precisa ser contido... tem necessidade de clareza... Mas bastam-lhe poucas palavras para descobrir que você não tem uma direção... Está ferido, está farto...!
Imponha-se leveza, entre em outras zonas de inteligência! Uma pessoa atenta sabe que, escondida sob a crosta da determinação e da falsa segurança, existe sempre a mesma ferida, a mesma chaga... sabe que não existe nada que possa começar ou fazer até que aquela ferida não esteja curada, cicatrizada. E ainda que tentasse escapar, ainda que se recolhesse numa caverna como um eremita ou em um

convento como um asceta, longe de qualquer telefone ou compromisso, aquela ferida, aquela chaga retornaria dolorosamente para denunciar sua falta de preparo. Mas você, como todas as pessoas comuns, não sente mais aquela dor, ou finge não sentir.
Pense, que bênção!

O mundo nos telefona para nos dizer quem somos e aquilo que nos falta... É como ter o oráculo de Delfos à disposição e poder interrogá-lo à vontade. Todos ao telefone parecem perguntar quem é, mas, na realidade, já sabem! Você já sabe quem está do outro lado... porque é você quem telefona a si mesmo.

O mundo é puro reflexo do seu ser... Não se esqueça! O mundo lhe telefona para comunicar-lhe quem você é... para fazê-lo conhecer aquilo que você sempre evitou saber de si mesmo! É você e somente você a decidir quem deve estar do outro lado... É você e somente você a decidir o que dirá a você... Por enquanto, do outro lado da linha, você encontra uma humanidade que reflete sua fragilidade. É você quem pede ajuda, quem pede para sarar. Um ser vivo convida a vida. O seu vitimismo convida o insucesso.

Semelhante atrai semelhante.

Inteligência atrai inteligência. Quer modificar as pessoas do outro lado da linha? Quer mudar as suas palavras, o seu tom, a substância das notícias das quais são portadoras?... Mude a si mesmo! Torne-se a solução e o mundo estará resolvido para sempre. Responder 'Alô, quem sou?' é a atitude de uma pessoa que sabe e se recorda de ser a única responsável por tudo aquilo que acontece na própria vida. Um telefonema permite-lhe entender aquilo que até agora você se negou a ver, tocar, enfrentar. Clareza... Doe clareza ao mundo... e do outro lado da linha estarão apenas boas notícias. Torne-se a solução... dentro! Seja livre!...

Fora não existe nenhum problema a resolver... nenhum ser malvado de quem se defender ou inimigo a combater. Para dar uma resposta ao mundo você deverá ser a solução. Entre em um estado de sinceridade, simplicidade, leveza, na luminosidade do ser. Se for capaz de olhar o jogo do alto, descobrirá que o mundo do outro lado da linha lhe oferecerá toda a sua gratidão e devoção.

Você descobrirá, então, que o verdadeiro trabalho como pessoa, o único, é ajustar o mundo. Vai perceber que você, somente você é a causa de toda loucura, todo conflito, toda criminalidade que acontece no mundo, e que você, somente você, pode curá-lo, protegê-lo, salvá-lo e amá-lo, se você souber curar-se, proteger-se, salvar-se e amar-se dentro.

Rasteira na mecanicidade

Tradições sapienciais, através dos milênios, inventaram e transmitiram toda espécie de truques para contestar a rigidez, a repetição à menos adequado, mais intenso e crucial. Fique imóvel em um canto, desafiando a pressão que o tempo tem sobre o seu Ser. Nesses momentos, você vai sentir fisicamente a tirania da sua mente que vem convencer você para recolocá-lo no turbilhão de problemas e preocupações. Sua mente atacará você com o pensamento de todos os danos causados pelos poucos segundos, do pequeno vazio que você criou na natureza mecânica de sua existência.

Um líder é antes de tudo um diretor do Ser. Sabe reconhecer e circunscrever em si qualquer negatividade... Sabe que, para vencer todas as batalhas, precisa antes 'vencer a si mesmo'.

'Vencer a si mesmo' significa não permitir que as emoções negativas nos governem; é ter as rédeas na mão... Significa vencer a destrutividade dos seus pensamentos, não permitir a autossabotagem... Significa a superação dos seus limites e de quaisquer obstáculos criados pelo medo, pelas dúvidas e por qualquer outra sombra no seu Ser.

'Vencer a si' mesmo significa desenterrar a vontade, fazer uma viagem de retorno em direção à integridade.

Na vida não há outra coisa a se fazer! As provas da existência que chegam até um ser, os empenhos de trabalho, ou toda dificuldade que ele encontra em seu caminho representam outras tantas oportunidades de acalmar a multidão briguenta que carrega dentro de si e de avançar em direção à integridade. Vencer a si mesmo, significa não sentir nem deixar transparecer a menor expressão de negatividade; não permitir internamente nenhum abaixamento, nem mesmo a menor careta de dor.

Se assaltado pelo tempo, engula o tempo
Se assaltado pela dor, engula a dor
Se assaltado pela dúvida, engula a dúvida
Se assaltado pelo medo, engula o medo

'Vencer a si mesmo' significa não depender do mundo. Significa ser criador, senhor de si mesmo, dos próprios estados de ser e, por-

tanto, senhor do mundo. Mas um dia o garotinho pára de interpretar. Esquece. E aquela máscara, que uma vez ele usava à vontade, torna-se uma careta permanente que governa com tirania sua vida... e o garotinho transforma-se de verdade no Ser caprichoso, irritadiço e manhoso que estava interpretando. Transforma-se em um adulto frágil que depende de qualquer um ou de qualquer coisa, de um emprego ou de uma droga, elegendo o mundo como o seu chefe.
A liberdade custará a você as máscaras que você usou assim por tanto tempo.

O sonho é a coisa mais real que existe

> Não pode governar os outros
> quem não governa a si mesmo.
> O inesperado tem sempre necessidade
> de uma longa preparação.

O sonho é a coisa mais real que existe. Ligue-se ao sonho com um cabo de aço e não permita que nada, nem ninguém os separe. Uma pessoa sem sonho é um fragmento perdido no universo.

O mundo, quando você o vê, já foi feito. Esta é a razão porque se chama 'criado'. Vem depois. É efeito! O mundo não tem uma direção, não tem uma vontade própria.

A vontade pertence somente ao indivíduo... ela governa o mundo. Se a vontade se ausenta, o mundo automaticamente tomará a direção. Seu preocupar-se é, então, inútil! Serve apenas para perpetuar sua dependência do mundo.

Significa que quando você esquece, você se reduz, decresce, e o mundo se torna o seu chefe. Os seres sem vontade reduzem-se a anões psicológicos e vagam no próprio universo com o rabo entre as pernas, encurvados sob o peso dos sentimentos de culpa, assustados mortalmente pelos fantasmas que eles mesmos criaram.

Transformar-se em um homem de negócios, assumir o papel mais amplo de um empresário não significa tornar-se um ser livre. Identificar-se com esse papel significa ter apenas trocado de prisão, ter entrado em uma nova cela. Liberdade significa ser livre da identificação com o mundo, significa apagar para sempre esse canto de dor que tem governado toda a sua vida.

O mundo externo é a materialização da sua psicologia.
É você quem deu o consentimento a cada um dos seus problemas, a cada dificuldade da sua vida...
Um dia, quando você se conhecer, entenderá por que o mundo é como é.

A adoção

Uma pessoa de bem, qualquer que seja o lugar em que se encontre, quaisquer que sejam os usos, costumes ou credo religioso do povo que a hospeda, respeita-os. Uma inteligência do coração guia as suas escolhas. Além do tempo e da geografia, a sua ética lhe permite sentir-se sempre em casa, na legalidade e na moralidade, sem esforço. Introduzir aquele cão naquele meio é a manifestação de uma vaidade escondida, de uma divisão em você mesmo e nos outros, que o relega aos últimos degraus da escala do Ser. Um dia, quando reconhecer em você essa vaidade, poderá curá-la. Por enquanto, e até que compreenda, empenhe-se em não criar escândalo.

Vaidade e egoísmo são a fonte secreta e a explicação mais profunda dos comportamentos variados e menos inteligíveis de muitos homens e mulheres: a paixão por esportes radicais e arriscadas aventuras, as obras humanitárias e de caridade, como adoção de crianças de uma raça ou cor diferente. Por vaidade e egoísmo alguns podem enfrentar oceanos numa casca de noz ou erigir catedrais, fundar religiões.

No silêncio, sem qualquer necessidade de erguer ondas contrárias, antagonismos e aversões inúteis. No silêncio, sem ostentação, sustentar a responsabilidade do que milhares de homens não poderiam tocar com um dedo.

Por humanitarismo para adotar uma criança estrangeira enfrentam muitas vezes longas viagens na superação de eventuais dificuldades, pagando intermediários, desde que a mãe também o faça.

Aqueles esforços não seriam jamais empreendidos, nem de longe, por uma criança do próprio país. Uma criança branca passaria inadvertida, os outros acreditariam ser realmente um filho natural. Seria como orar ou jejuar sem o demonstrar, aliás, tomando cuidado para que ninguém jamais viesse a saber de nada.

A adoção escolhida não foi um ato de amor, como eles podem ter acreditado, mas a tentativa de preencher o vazio daquele relacionamento. Nada é externo. Nenhuma coisa do externo, nem mesmo a adoção de uma criança, pode eliminar as mortes internas, o medo, a solidão, o sofrimento.

Os ataques do mundo são uma bênção... chegam sempre para nos curar. O mundo deve intervir do externo para denunciar aquela falta, aquela doença que você crê não ter.
Aquela criança os adotou e não vice-versa; ela é o benfeitor que cuidou de todas as doenças deles, da solidão, tentando curar os medos, a culpa, a esterilidade deles.
O mundo sabe.

7
O regresso à Itália

A cláusula

Corte! Corte para sempre! Não leve consigo nenhum átomo do velho mundo. Você é guiado pelo medo. Tem vivido uma vida em conformidade com a multidão. Anos e anos de dependência, sem encontrar coragem para respeitar seu sonho, a sua unicidade.

Ulisses fez-se amarrar ao mastro do navio para, diante do canto das sereias, não esquecer a sua promessa, o sonho, os laços que o ligavam aos seus princípios. É o ato de um ser de Escola, de um ser impecável que, como todos os heróis, conhece a si mesmo.

Não tema a obediência.

Alinhe-se com os princípios da Escola.

Obedecer à Escola não é depender, mas seguir aquilo que é mais puro, mais verdadeiro em você.

Um dia, quando se aproximar de uma maior honestidade e sinceridade, verá que nunca existiu uma diferença.

A Escola, que está aparentemente fora de você, irá se fundir com a Escola que está dentro de você: a Vontade.

Um brusco despertar

Visão e realidade são uma mesma e única coisa. O maior inimigo do ser humano é ele mesmo! Você é o exemplo mais evidente de quanto é impossível ao ser humano abandonar as prisões da mediocridade, levantar as armas contra os próprios limites, reverter a descrição do mundo. A amargura que você está vivendo, sua fidelidade ao sofrimento são a prova disso...

Pode parecer que a sua vida esteja árida, reduzida, como se as raízes estivessem infectadas ou doentes, mas a verdade é que você jamais sonhou com algo diferente desta pobreza, desta dor, desta prisão.

A ignorância está sempre a um palmo de distância

Enquanto você não redescobrir a sua vontade sepulta, enquanto você não alcançar sua verdadeira liberdade, a sua integridade, o passado estará sempre à espreita para reconduzi-lo àquilo que é velho e deteriorado.
A ignorância está sempre a um palmo de distância...
Se você deixar de vigiar e se esquecer do sonho, será pilhado em um instante e, com você, cada conquista, cada entendimento, ainda que conseguidos a duras penas, degradarão.
Não importa quanto trabalho você tenha dedicado.

Enquanto você não atingir a totalidade do ser, estará sempre em equilíbrio instável sobre o abismo da sua ignorância...

A totalidade do ser significa domínio de si; é o resultado de um longo trabalho de Escola... Antes disso, um homem não é mais do que um sonâmbulo suspenso entre o nada e a eternidade.

A injustiça não existe!
Na vida de todo ser humano, nada foi mais justo, mais providencial do que o que ele considerou injusto.

A poluição psicológica

A desobediência aos princípios do sonho significa autossabotagem, significa matar-se dentro.

A existência fora não pode fazer outra coisa senão refletir aquele suicídio interior.

Observe a poluição psicológica das organizações. Pensamentos destrutivos, emoções negativas, não só poluem a própria pessoa mas, uma vez manifestos, são capazes de poluir o ambiente, as pessoas e todos aqueles com que tenham contato.

Assim milhares de pessoas podem ser contaminadas pela mesma sugestão, por imaginação, por uma única emoção negativa, e levadas a reações coletivas, mecânicas, muitas delas violentas, como reflexos psicológicos condicionados.

Para que as emoções positivas se produzam, é necessária uma longa preparação, um intenso trabalho sobre si mesmo, anos de auto-observação para eliminar estratos de ignorância, de rudeza, e tudo aquilo que impessa os elevados estados de Ser.

O acidente

O mundo não pode mover uma agulha sem o nosso consentimento.

O mundo é como você o sonha.
Aprenda a desconfiar de você, ou melhor, do que a té agora acreditava que você fosse. Você sabe quem você é!
Esta monstruosidade deve sair para sempre! Eu não tenho limites! Estou aqui para ganhá-lo para sempre ou para perdê-lo!...

Você, como milhões de seres, é vivo e sincero somente quando sob ameaça. Somente quando encontra alguém ou alguma coisa mais violenta que você é que mostra um aspecto de homem...

Por um instante fiz você de espelho e você recuou diante da sua imagem refletida, como sempre fez na vida. Teve medo da sua própria violência. Está horrorizado porque não se conhece.

Pessoas como você alistam-se à vontade entre os pacifistas, vão engrossar as fileiras de todos os exércitos da salvação do planeta, tornam-se apóstolos do humanitarismo, defensores contumazes da não-violência, sem saber que são, eles mesmos, propagadores de lutas e de divergências.

A humanidade cria instituições beneficentes, organizações humanitárias, movimentos filantrópicos que são o reflexo encarnado da sua falsidade, da sua degradação... Altruísmo, humanitarismo tornam-se formas que seres usam para esconder de si mesmos a própria violência; são a forma com que alguns assumem a própria separação, a distância dos outros. A benevolência, a generosidade, o amor degradam-se e materializam-se numa alma mendicante, no equívoco mais completo do verdadeiro sentido de fazer pelos outros, na degeneração última e em extrema da caridade.

O mal não é ser violento, mas, sim, não saber que o é. A violência é a reverberação de uma psicologia conflituosa, o efeito de um matar-se dentro.

O primeiro trabalho a fazer é construir a si mesmo!

A ignorância, em relação a si mesmo, convida todas as desgraças e as misérias que você pode observar na vida dos seres humanos... A vítima cria, meticulosa e inconscientemente, as condições para atrair seu perseguidor. Tem, na escuridão do seu ser, por muito tempo tecida, a terrível rede que irá capturar seu algoz.

A cura pode vir somente de dentro

O incidente não tem a ver com o menino, mas tem a ver com você... é o efeito da sua pecabilidade.
Um bom passado é como ter um bom capital.
O seu passado é um castigo de Deus.
É um caminhão de débitos!... Até que você os pague, todos eles, deverá atravessar inúmeros sofrimentos e confrontar-se com os Antagonistas mais cruéis.

Quando você for consciente disso, sentirá gratidão por todos os sofrimentos e bendirá cada dor e cada aparente injustiça... Um dia saberá que vieram para elevá-lo e melhorá-lo, e o quanto foram necessários para sua evolução.

Dificuldades e sofrimentos são testes no seu caminho para a integridade. Quando um homem percebe isso, a vida se torna seu mestre.

Toda crise, toda queda, toda dificuldade são perfeitas, insubstituíveis.

Se não forem as minhas palavras a mudá-lo, será a vida a fazê-lo. Aquilo que você não pode entender por meio das Minhas palavras, deverá entender por meio dos seus erros. Depois das Minhas palavras, chegará a vida com as suas leis e os seus instrumentos de cura. A vida não é uma máquina de transformação, como você está imaginando, mas uma máquina da verdade. Eventos e circunstâncias não nos chegam para nos curar; são sintomas para nos fazer ver quem somos...

A verdadeira cura pode acontecer somente do interno.

Nenhuma política, religião ou sistema filosófico pode transformar a sociedade a partir do externo. Somente uma revolução individual, um renascimento psicológico, uma cura do ser, pessoa por pessoa, célula por célula poderá conduzir-nos ao bem-estar planetário, a uma civilização mais inteligente, mais verdadeira, mais feliz.

Elogio da injustiça

Por ainda muitos anos, para a massa humana será impossível assimilar isto e aceitar a evidência de uma verdade tão simples. A injustiça é a justiça mais justa! Aquela que o ser comum chama injustiça é um recurso da existência que lhe permite acesso a um estado de completude, a graus mais altos de compreensão.
A injustiça é compaixão manifestada.

O acidente do seu filho não foi um acidente...
A acidentalidade não existe...
O acidente é um exato e verdadeiro ato de vontade... o ato de uma vontade inconsciente. Eventos desagradáveis e desgraças atingem-nos para curar-nos, completar-nos. A injustiça chega aos seres humanos como oportunidade para melhorar a própria vida, para despertar em cada um o sonho de um dia ser livre.
A injustiça é a via para o conhecimento de si... para a própria completude. Não pode existir justiça mais justa que a injustiça.
Estou disposto a explicar-lhe cientificamente. Existe no ser, até naquele mais degradado, uma vontade involuntária, um desejo inconsciente, uma beleza ainda destituída de razão, um conjunto disforme que grita por recuperação...

O mal está sempre a serviço do bem. O mal não existe!... Isso que é aparentemente negativo... as adversidades... aquilo que o ser humano horizontal chama injustiça, na realidade é uma bênção. Os eventos, as ações e as circunstâncias mais injustas chegam para elevar o ser a níveis mais altos de completude, de integridade, de liberdade.

Os sintomas de uma doença são sinais preciosos do corpo que denuncia uma degradação do Ser, um abaixamento da inteligência. Não confunda a causa com o efeito. Qualquer intervenção no sintoma, para suprimi-lo, como faz toda a medicina institucional, ignora a verdadeira e mais aguda doença. Junto com os sintomas, elimina também a chance de cura superior...

Não existe nenhum mal fora de nós, mas somente indicadores visíveis de cura, sentinelas luminosas de uma verdadeira salvação que está em nós mesmos. Até as doenças aparentemente mais graves são apenas sintomas, sinais que indicam a via para a cura.

Elas revelam a culpa que, por trás de toda queda, denuncia a autossabotagem, as mil mortes internas que são a verdadeira causa da morte física.

Mas, para reconhecê-las, é necessário refazer os seus passos pelo caminho de volta em direção à verdadeira causa!...

Um dia a ciência descobrirá que não existem muitas doenças. Atrás da aparente multiplicidade, além da complexidade das manifestações, a doença é uma só... é um pensamento, é uma semente funesta.

Também os aspectos psicológicos são ainda sintomas que motivam a busca da verdadeira causa, da causa das causas, do mal por trás do mal: a ideia da inelutabilidade contra a morte.

A eliminação dessa superstição, colocando em discussão essa *'self-fulfilling prophecy'*, essa profecia que se autoexecuta, resolverá a psicologia do ser humano e a psicologia resolverá todos os males.

O ser humano fez da morte o seu limite, mas, na realidade, também ela é só um sinal, um sintoma de cura e, paradoxalmente, a prova mais evidente da nossa imortalidade.

A morte é o sinal mais evidente e tangível da nossa onipotência, da capacidade de o ser humano realizar o impossível: destruir o corpo.

Na raiz de todas as desigualdades entre os homens, de todas as injustiças ou da falta de liberdade existe a verdadeira diferença, da qual todas as outras se originam: o grau de responsabilidade interior.

Ser, compreensão, responsabilidade, destino são uma mesma e única coisa.

O ser humano é a sua compreensão.

Os seres humanos pertencem a níveis diferentes de compreensão. É esta a verdadeira desigualdade entre eles!

Guerras, revoluções e todas as outras tentativas de dar a todos a igualdade, justiça, liberdade, paz fracassaram porque fundamentados na convicção que havia um mal a ser destruído, obstáculos externos a serem removidos.... Foram em vão e deixaram todas as coisas como eram!

Riquezas, privilégios e disparidade social são apenas um efeito, o reflexo de uma diferença muito mais profunda.

É no Ser, na nossa respiração, no nosso sentir que acontece tudo.

O nível do nosso ser atrai a nossa vida.
A humanidade, assim como é, precisa do mal!

Um ser humano comum consegue ouvir a si mesmo somente pela dor...
Para sentir-se vivo, precisa do sofrimento... do Antagonista... do tempo.
Enquanto tal condição perdurar, a dor e tudo aquilo que o ser humano chama injustiça serão o único motor do mundo e a única força capaz de empurrá-lo em direção a estados superiores de Ser.

MANUAL ESCOLA DOS DEUSES
O mundo é criado pelos nossos pensamentos

Seu filho não morreu porque ainda existe um fio que liga você a Mim.

Agora, à cabeceira de seu filho, você se pergunta por que... pergunta-se por que sofreu um acidente... Você gostaria de saber por que sua vida é assim desastrosa...!

Pegue um segmento de sua vida, um milímetro de sua existência. Encontrará ali o mapa dos seus pensamentos destrutivos, dos seus estados emocionais corrompidos... A dúvida e o medo dividiram até hoje os eventos da sua vida.

Quem vive o inferno não pode criar outra coisa a não ser o inferno! Sua dúvida torna-se medo e o medo fabrica pedras no seu rim... ou trama acidentes e desastres no mundo dos eventos.

O mundo é assim porque você é assim.

O mundo é uma invenção sua... O acidente é uma tentativa do mundo de revelar-lhe a sua falta de atenção, de amor, e mostrar-lhe a via da justeza. Mas você não ouve a si mesmo.

O horror é ter transferido Deus para fora de nós! Era uma vez um ser sem religiões. Elas surgem quando, por um abalo da sua religiosidade, o ser humano se degrada e transfere a divindade para fora de si.

O ser humano percebe de forma invertida a relação que existe entre os seus humores, as suas emoções e os eventos externos.

A primeira educação que o medo é o efeito do encontro com algo aterrador, e a dor é a reação a algo doloroso.

O ser humano é cego à profundidade.

Estados e eventos são uma única e mesma coisa. Estados e eventos são uma coisa só!

O tempo que intercorre entre eles cria, no ser humano, a ilusão de que entre os estados de ser e os acontecimentos da sua vida não existem conexões. Se alguém pudesse levantar a cortina do tempo, ou comprimi-lo, descobriria que os estados são já eventos! Os estados emocionais de um ser são eventos à espera da oportunidade de se manifestarem.

O passado é pó

Pensamento é Destino.
A humanidade pensa e sente negativamente! Isto já é suficiente para explicar a interminável sequela de infortúnios que o ser humano insiste em transmitir, ao que ele chama História, e explica ainda por que, através dos milênios, a nossa civilização foi constantemente marcada por um destino tão terrível.

Passado é Pó! A história do ser humano é a narração de uma visão criminosa, a materialização da sua parte mais abjeta... Recordar a sua série infinita de crimes, como fazem todas as escolas do mundo, pode somente nos contaminar.

Não é a esperança nem a memória dos erros passado que podem transformar a humanidade, mudar a história, o destino. Somente o indivíduo pode fazê-lo, por meio de sua autotransformação.

Nós não deveríamos recordar o passado; nós deveríamos recordar o acima!

É preciso desenvolver uma memória vertical, perpendicular ao plano da História... É preciso elevar o ser do indivíduo!
O mundo não é criado. O mundo é pensado. Uma vez eu lhe disse que se você fosse vigilante, consciente e atento a tudo aquilo que você fabrica no seu ser, a morte da sua mulher não teria sido necessária. Você não teria obrigado o mundo a revelar-lhe isto com tamanha violência.

Para se recuperar, você escolheu o tempo, e o tempo é dor... Você não está no presente, e a sua ausência dá espaço a todos os desastres programados por sua desatenção.

Nada é externo. Tudo depende de você.

Nada há que o ser humano possa receber do externo: nem sucesso, nem dinheiro, nem saúde.

O nosso mundo, com todos os seus acontecimentos, é criado por nossos pensamentos. Também os pensamentos destrutivos criam; nós somos os artífices também da negatividade. Em vez de reagir ao mundo que nós mesmos criamos, devemos saber seguir a trilha dos eventos ainda quentes e voltar aos estados que os geraram, circunscrevê-los e os excluir.

Vontade e acidentalidade

A consciência é luz. Saber o que acontece dentro de nós permite interferir no instante,

o único tempo real, para projetar um mundo
novo livre da acidentalidade.

> O inesperado sempre precisa
> de uma longa preparação.

Um ser humano não pode se esconder. Tudo
na sua vida é regulado pela Lei e pela Ordem.

Existem para o ser humano assim como é...
para a criatura degradada a que se reduziu...
para aquele ser que, sepultando a vontade,
tornou-se a caricatura de si mesmo.
Você é completamente responsável por sua
vida. Você é completamente responsável por
seu destino. Você tem de reconhecer que dor,
doença e pobreza não são acidentais, mas
produtos dos seus conflitos. É você, e somente você, quem os cria.

A acidentalidade é sempre um pagamento, a
indicação de uma cura, mas involuntária.
A acidentalidade é uma vontade degradada,

esquecida, sepulta, que tomou o lugar da verdadeira vontade.

O ser humano permutou a vontade pela acidentalidade. Quem percebe isso procura uma Escola para reconquistar a integridade perdida.

Somente poucos percebem a necessidade de uma Escola especial, somente poucos dentre poucos têm as qualidades para poder encontrá-la.

Não! Você não está entre aqueles poucos!

Fui eu que escolhi você! Escolhi-o para demonstrar, por intermédio de você, o que todo ser humano pode conseguir!

A humanidade pode renovar-se, pode regenerar-se, renascer, pode readquirir a vontade sepulta.

Não é preciso uma revolução de massa. A verdadeira transformação da humanidade acontece por meio da transformação de um único indivíduo que realize a própria integridade, a totalidade de si mesmo.

Um ser humano é golpeado por uma desgraça, como o acidente ocorrido com o seu filho, para fazê-lo entender que é ainda parte daquela faixa de seres que pagam somente se obrigados... por intermédio da acidentalidade.

Se você não souber dar uma direção ao seu sofrimento, fará parte daquela multidão supersticiosa que você via quando menino, de uma humanidade que tenta esconjurar os eventos pela propiciação de uma divindade externa que, na sua imaginação, controla a vida. Se isso não acontecer em uma procissão, poderá acontecer em um estádio, em meio à multidão ruidosa unida por um fanatismo esportivo.

Aqueles papéis são pagamentos a prazo. O papel que uma pessoa assume é a sua expiação e um dia será seu caixão.

Uma humanidade nova substituirá o pagamento involuntário, a purificação involuntária, por um pagamento antecipado. A cura virá antes da doença e a solução chegará antes dos problemas.

Ame a si mesmo com todas as suas forças, em todas as circunstâncias e sob qualquer condição... sem descanso. As coisas acontecem sem esforço, naturalmente, por necessária consequência, e são todas reguladas por sua vontade.

Existe um gragmento de eternidade para ser trazido a quem, como você, vive nos círculos do inferno das organizações.

Você deve recomeçar de onde começou.

Não posso evitar-lhe isto!

Aquilo que não foi superado deve se repetir.

8
Em Xangai com o Dreamer

A perfeição não se repete nunca

Todos os problemas da humanidade, da criminalidade do bem-estar nos países do primeiro mundo, pela degradação dos valores morais, à pobreza endêmica que grassa em inteiras regiões do planeta, são, por esta razão, somente o sintoma de uma doença mental.

O mundo é assim porque você é assim. O mundo, a realidade que acreditamos ser externa a nós, é a reverberação física da nossa psicologia, do nosso Ser.

Não existe nada de muito pequeno ou de insignificante!

Faça que cada ação seja impecável!

Impecabilidade é ausência
de qualquer ato desnecessário.

Quando alguma coisa é bem-feita, é feita para sempre! Todo o Universo é informado disso, e você não terá mais necessidade de repeti-la. Somente a imperfeição se repete. A perfeição não se repete nunca, porque continuamente transcende a si mesma. Uma perfeita crisálida deve cessar de ser uma crisálida perfeita e morrer para ter acesso a uma condição superior de ser.

A evolução do Universo depende da evolução do indivíduo, da sua transformação. O individual e o universal são a mesma e idêntica coisa. Na origem do progresso e de toda forma de arte encontra-se essa compreensão e é esta que deve voltar a ser o elemento central da educação de um ser humano.

Tudo está interligado.

O Universo está no nosso cérebro... é uma semente dentro do ser humano que se desenvolve conforme lhe apraz. Por isso, se uma pessoa intencionalmente agisse sobre algo, por menor que fosse, ou levasse à perfeição mesmo a coisa mais simples, com a impecabilidade daquele gesto teria consertado para sempre seu universo pessoal... sairia de uma faixa acidental da existência, onde tudo já está programado, do nascimento à morte, e modificaria o seu destino.

> O mundo é o reflexo,
> uma ressonância do ser.

A razão do ser humano é armada

Tudo aquilo que você vê e toca, aquilo que chama de realidade, é psicologia... solidificada. O pensamento do ser humano materializa-se e torna-se mundo. Fatos são pensamentos.
A mais grave das doenças do ser humano, a causa de todos os seus males, individuais

e sociais, é a divisão interna, a sua psicologia conflituosa.

É um mito-advertência!

A razão do ser humano é armada! Este é o mais lúcido diagnóstico que uma civilização pode fazer em relação ao seu mal. A Grécia não soube escutar seus sinais, nem seus oráculos. Reconhecer o próprio mal, a própria culpa, já é a cura. O ser humano não quer ver a sua loucura, reconhecer a destrutividade do seu pensamento. Há séculos a humanidade foi advertida e sente pairar sobre o seu destino a sombra dessa profecia. Não podendo escutá-la, não sabendo o que fazer nem como exorcizá-la, tentou removê-la e ignorá-la.

> O reconhecimento do lado escuro
> dentro do ser
> é a solução, a cura,
> a autêntica salvação.

Somente o indivíduo tem acesso a este conhecimento. A massa não quer buscar o autoconhecimento.

A massa é um fantasma, um mecanismo influenciado por tudo e também por todas as coisas... Não tem fé, não tem vontade própria, não pode criar... pode somente destruir. Este é o verdadeiro papel da massa. Somente a integridade, que possui uma vontade, pode sonhar e materializar o impossível.

O ser humano atravessa oceanos, escala os cumes mais altos e arrisca a sua vida nas circunstâncias mais temerárias. Retira-se para templos, ashram e mesquitas...

recolhe-se em oração ou une-se no sexo...

escolhe a vida da penitência ou da libertinagem...

a cela do monge ou os desafios dos negócios...

sempre na mesma tentativa de unir-se dentro...

na infinita busca da sua completude.

A história do ser humano é uma viagem de retorno... a parábola do filho pródigo é a sua insuperada metáfora. Mas todas as religiões esqueceram sua razão de ser. Degradando-

-se, transformaram-se em seu oposto, em máquinas de promoção da morte e da ideia da sua inevitabilidade. Em vez de se curarem, alimentaram a divisão e o conflito, cultivando a intolerância, as guerras de princípios e todo tipo de superstição.

É preciso alimentar nas crianças a ideia de imortalidade... da imortalidade física.

É preciso levar essa ideia a todas as escolas, de todos os tipos e graus, e às universidades... com a cautela de quem sabe que tão logo a discussão da morte seja colocada em cena, você se tornará o inimigo de todas as ideologias e religiões.

O animal que mente

A tradição judaico-cristã denominou aquele tombo fatal de queda do Paraíso, e marcou-a como o pecado dos pecados, o pecado original.

Um pecado imperdoável.

A mordida na maçã não é um fato insignificante, mas a metáfora decisiva daquele escorregão no ser do indivíduo que abdica da sua natureza e que de criador se reduz a criatura. Morder a maçã significa crer em um mundo fora de nós, que nos contém e governa; significa dar consistência ao fantasma de uma alteridade... Para o ser humano, é o início da dependência e de toda a sua trágica história.
As primeiras palavras de Adão: Escondi-me... tive medo... não fui eu... foi a mulher quem me deu...

As palavras de Adão assinalam o nascimento da dependência e são o manifesto do ser humano comum, mentiroso e irresponsável, o ser humano mais antigo do qual você possa encontrar alguma pista.
É nas palavras de Adão, nas primeiras palavras pronunciadas por um homem em

desgraça, que o pensamento empregatício, a identificação com o mundo e a dependência encontram as suas raízes!

Mentir, esconder-se, acusar, justificar-se, compadecer-se são, desde então, e sempre serão, os estigmas verbais, e antes psicológicos, de um ser expulso do paraíso que perdeu a própria integridade.

O pecado de Adão é mortal porque é uma queda no tempo, uma queda no estado hipnótico, na convicção de poder morrer. Mas o ser humano não pode morrer, pode apenas se matar. A morte é sempre um suicídio.

É hora de o homem retornar à casa, de acordar do seu sono e de se assenhorar daquilo que é seu por direito... a imortalidade perdida.

Torne-se um ser livre!

A religião planetária é a divisão! A divindade que a humanidade venera acima de qualquer outra é sempre a mesma: o medo!

A dependência é medo!... Também você fez do medo o seu ídolo. Por isso depende e ainda ganha para viver escondido atrás de um emprego...

Eu vim para livrá-lo! Entrei na sua vida porque um dia você sonhou ser livre...

Mas você, depois de anos, ainda permanece em condições de escravidão!

Para abandonar a sua condição, para sair da prisão dos papéis a desempenhar, você deve reverter sua visão.

Livre significa livre do mundo...

É um trabalho tenaz de anos e anos... Mesmo que começasse neste momento, toda a sua vida poderia não ser suficiente...

Livre significa livre do medo, das dúvidas, da ansiedade e das emoções negativas... Livre de prejulgamentos, de preconceitos, de uma descrição mesquinha do mundo... Livre de qualquer limite. Livre da mentira e do trabalho que ainda, para seres como você, é uma condenação, o efeito perverso de uma maldição bíblica.

A convicção de que existe uma realidade fora de você fez do mundo o seu chefe... Hipnotizado pelo reflexo no espelho, você ainda procura a segurança nos olhos dos outros.

Livre dos papéis, livre do medo, livre da identificação com o mundo.

O pai de Buda

Respeite todos os cultos e todas as religiões dos seres humanos, mas não faça parte.

Aspire mas nunca pertença!

Ao Meu lado você poderá mudar a sua visão e, com ela, o seu destino.

Envelhecer, adoecer e morrer são parte da descrição do mundo. São estados aceitos como eventos naturais e inevitáveis, sem que nenhum ser tenha se rebelado contra isso. É o

resultado de um sistema de convicções e expectativas que se tornou universal...
Aquilo que esperamos acontece!
Adoecer, envelhecer e morrer são maléficas atitudes mentais.

> Na história de Buda,
> o verdadeiro iluminado é o pai.

Esta é, ainda hoje, uma das fábulas mais instrutivas já transmitidas! O pai de Buda sabia quão potente é a descrição do mundo e conhecia a força das convicções.
Não foi por acaso que a tradição o considera um rei, um homem régio, real! No Olimpo dos heróis, o seu mito merece um lugar ao lado de Prometeu.

Depender é uma servidão intolerável

Somente um ser íntegro pode ser livre. Alguém dividido em si mesmo só pode depender!

Ser empregado é apenas uma manifestação visível do depender. Esta condição não é o efeito de um papel a desempenhar, não é a consequência de um contrato de trabalho, nem nasce do fato de se pertencer a essa ou àquela categoria social. Depender é ausência de vontade. Denuncia um estado de medo, o vínculo a um círculo infernal do Ser.

É o grau de liberdade conquistado internamente. É a vitória sobre o medo que faz um ser pertencer à classe dos heróis, à classe daqueles que amam, que sonham, e não àquela de quem deve trabalhar para viver. O ser humano deveria dedicar-se somente a manter um elevado estado de ser, uma condição de serenidade, e não deixar jamais de sonhar... assim tudo lhe seria acrescentado.

Somente uma humanidade educada para a beleza, para a verdade, para o bem-estar, somente uma humanidade sonhadora, intuitiva, contemplativa pode suportar o poder do

não-fazer, a responsabilidade do ócio áureo.[3]
A velha humanidade quer continuar a trabalhar... não saberia o que fazer se não trabalhasse... Quer depender. Já decidiu viver sob a égide do medo... elegeu a dúvida como o seu patrimônio natural e chefe! Suicida-se tentando dedicar-se a algo incessantemente, preocupando-se, aturdindo-se... tornando-se escrava do tempo...

Visão e realidade são a mesma coisa

Visão e realidade são a mesma coisa. O mundo é a sua visão. Mude a si mesmo e o mundo mudará para sempre!... Esta é a maior ajuda que você pode dar ao mundo.
O mundo é você! O mundo está em guerra porque você está em guerra...
Um sonhador crê somente em si mesmo, na sua impecabilidade, e projeta o mundo que

---

3   Ideal de vida da cultura greco-romana, que privilegia a busca da felicidade e da verdadeira natureza do ser humano e de seu progresso por intermédio do *não-fazer* ou da contemplação. (N.T.)

deseja. A realidade em que vive é a exata representação do seu paraíso portátil.

> A realidade é uma goma de mascar:
> assume a forma dos seus dentes!

O mundo que você vê e toca não é objetivo e jamais poderá ser... Reflete você. Aprenda a ser brilhante, elegante, altivo, grandioso! Aprenda a usar com propriedade a injúria e a raiva! Aprenda a interpretar o papel que a circunstância exige: cômico, irônico, incisivo, sonhador, divertido; sóbrio e sincero, sereno e imperturbável.

Torne-se um paladino da liberdade. Dirija sua obra para melhorar a humanidade, liberando-a da tirania e da opressão de todo gênero – política, religiosa, social, intelectual e emocional... – e você verá construir-se, sob os seus olhos, um paraíso terrestre.

Uma raça a empregar

Um dia, quando tiver superado tais papéis e souber interpretá-los perfeitamente, também você se libertará deles. Essa conquista poderá exigir de você instantes ou toda uma vida. Depende de você!

Somente o ser que recolheu uma faísca de eternidade pode conseguir isso. Abaixo do nível de um ser íntegro, a existência aprisiona o ser na fixidez de um papel...
Uma raça a empregar.
A sua principal característica é a capacidade de aceitar estoicamente a insuportável amargura do depender.
Uma pessoa observa-se, ri de si mesma, e é livre! Se você está confuso, observe a confusão em você e estará livre.

Auto-observação é autocorreção.

Se você fosse capaz de observar o seu inferno, este desapareceria, a sua cura seria imediata e comunicada a todo o universo.

Você é a origem e o fim de cada evento. Controle-o na fonte. Este mundo de adversidade e sofrimento foi criado por você e só você poderá mudá-lo.

A cura é um processo de dentro para fora, do interno ao externo. Pode acontecer somente se você a quiser.

Faça somente aquilo que ama!

Trabalhar é o reflexo de uma psicologia incompleta.

O papel que o ser humano ocupa no mundo é o sintoma mais sincero de uma incompletude, o modo mais simples para ressaltar a causa de todos os seus males.

Você pode fazer somente aquilo que você é.

Quando isso for claro para você e se tornar carne da sua carne, saberá também como interferir na causa.

Mudar a si mesmo significa intervir em cada átomo quanto ao próprio modo de pensar e sentir; significa trazer luz à própria vida. Quanto mais você conhece a si mesmo, mais os papéis e as funções que você desempenha tornam-se sublimes. Quanto mais responsável você é interiormente, menos você depende.

Isso permite abandonar o sofrimento inerente a cada papel e transformar o trabalho-fadiga em sonho.

O trabalho se tornará sublime, até que um dia desaparecerá das atividades humanas.

É preciso transformar o trabalho em sonho! Empregue toda a sua força, tempo, energia e tudo o que você tem para realizar o que realmente você quer!

A Arte do sonhar significa amar-se dentro. São necessários anos de auto-observação e de atenção para redescobrir a vontade, para reaver a integridade perdida.

Uma verdadeira Escola elimina tudo aquilo que atrapalha o sonho.

Mais que impor falsas ou inúteis noções, uma verdadeira Escola libera os jovens do medo, das superstições e do sono hipnótico que os confina no gueto de uma humanidade dependente.

Quem ama aquilo que faz não depende. Quem ama não tem tempo para vender... Somente quem não ama pode ser recrutado, retribuído. Um ser humano que ama é impagável.

Entre as grandes ilusões de quem trabalha, existe aquela de receber uma retribuição. Na verdade, aquilo que é considerado uma compensação, um salário, é somente um modesto, um parcial ressarcimento pelos danos produzidos pela condição de dependência.

A Economia não está baseada no trabalho,
mas na felicidade.
A felicidade é Economia.

Aos sete anos, os espartanos deixavam de depender. Eram colocados em uma escola da coragem, em que se forjavam heróis, guerreiros luminosos, invencíveis. Atualmente, com a mesma idade, as crianças são incluídas no triste exército dos adultos.

É observável a transformação que sofrem. O gosto pelo jogo, o frescor das impressões, o entusiasmo, a adaptabilidade, a coragem são substituídos pelas emoções aparentemente humanas: inveja, ciúmes, rancor, ansiedade, temor), pela aquisição de hábitos insanos; lamentar-se, o falar excessivo, o esconder-se e o mentir e pela imitação daquelas deformações, que são as máscaras da degradação que sofreram.

Engaiolar a liberdade da criança – cortar as asas do sonho – é uma imoralidade que a humanidade, assim como é, nem consegue ver. Sua paga são os inúmeros males sociais que a afligem e uma economia baseada no fracasso.

Como o barulho do trem friccionando fortemente os trilhos, que depois de um tempo já não percebemos mais, assim se torna a dor da dependência para nós: uma coisa só com a existência, uma constante natural e, absurdamente, uma presença reconfortante na vida. Abandoná-la será, quando chegar à idade adulta, uma tarefa... quase impossível.

A direção terrível e maravilhosa

Cada aspecto da vida de alguém, cada decisão, cada escolha corresponde ao seu grau de responsabilidade interior... É isso que determina o seu papel no mundo e lhe confere o destino que merece. No passado, estava criando as condições para a sua passagem a uma faixa mais alta da existência... mas, a um homem, como você, ainda vítima de dúvidas e medos, a oportunidade apresentou-se como uma ameaça mortal.

Aparentemente você desistiu. Acreditou estar escolhendo uma vida mais simples, uma vida mais tranquila. A verdade é que você não estava preparado para aproveitar aquela oportunidade que lhe ofereci! Seu nível de responsabilidade não podia abrigar aquela prosperidade. Pessoas como você se assustam com a liberdade. Pela enésima vez, o mundo da dependência tragou-o e lançou-o no círculo mais escuro da existência, fazendo-o repetir os desastres do seu passado.

Foi o único modo de fazê-lo entender que nada pode ser doado! Uma pessoa deve pagar por tudo aquilo que recebe. E o pagamento acontece no Ser. Um ser humano pode ter somente aquilo que a sua visão consegue enxergar, pode possuir somente aquilo pelo que é responsável.

Nada é externo. Um ser humano não preparado, ainda que temporariamente favorecido por um evento ou por uma circunstância externa, é atirado na antiga pobreza, caso o ter exceda seu nível de Ser.

> Seja um Rei e um reino lhe será dado.
> A realeza do Ser precede sempre
> o nascimento de um reino.

A sua experiência como empresário em um banco foi uma prova para medir a sua responsabilidade, para fazê-lo ver de perto como o medo cria o inferno no mundo dos eventos. É o medo que faz você depender de um emprego, de uma mulher, de uma droga... É o medo que faz você acreditar que um salário possa protegê-lo, dar-lhe segurança.

Quem não conhece a si mesmo, quem não é senhor dos seus estados, não pode fazer nem por si nem pelos outros.

Uma pessoa pode escolher somente a si mesmo! Sua condição de apaixonado é ainda uma forma para fugir da responsabilidade. A mulher que você acredita amar é, também ela, uma refração da sua propensão a depender.

Apaixonar-se

O medo e a sua inclinação à dependência fazem-no agarrar-se a tudo aquilo que você encontra, como aconteceu com essa mulher. E mente a si mesmo acreditando-se apaixonado...
Atrás de qualquer estado de paixão existe uma queda. E atrás de cada queda há uma culpa.
Nada é externo. O mundo, os outros são você mesmo distribuído no tempo. Amar alguém é amar um fragmento de si, significa diminuir-se... significa fragmentar-se.

Amar (a-mors) significa ausência de morte. Amar significa amar-se dentro, eliminar de si qualquer forma de autossabotagem.

Somente a integridade pode amar e somente a totalidade do Ser, em toda a sua magnificência, pode conter o amor.

Sim, mas não se esqueça nunca de que tudo aquilo que acontece fora de você é apenas uma representação cênica, o filme do seu Ser que, pela sua grandiosidade, não pode viver senão no interior de você mesmo. O outro... os outros... o mundo... são a sua imagem refletida, um copo de água, um punhado de areia.

Amar a si mesmo é o único amor possível. Amar a si mesmo é a arte suprema. Amar a alguém fora de si é uma idolatria que encontra o ápice da sua expressão na sensualidade.

Na escolha de um companheiro, como em inúmeros momentos em que se deve dar uma direção à própria vida, o ser humano é constantemente influenciado pelo sexo.

A humanidade pôs o sexo no centro da sua existência, sem nem ao menos intuir que é apenas um distante brilho de um êxtase esquecido: a unidade do Ser!

Sexo, comida, bem como o sono, exigem uma gestão cuidadosa, uma capacidade de gestão que os seres humanos esqueceram. A atividade sexual, que deve servir como disciplina, uma tecnologia a serviço da humanidade para alcançar a unidade do Ser, tem sido distorcida. Quem entrou em outras áreas do Ser usa a sexualidade como propulsor a serviço da integridade.

O ser humano procura a felicidade, o amor fora de si, mas a viagem do filho pródigo não é externa... é uma aventura interior, é a viagem de retorno à unidade do Ser.
O homem tenta incessantemente a reconquista da sua integridade. Junta-se à mulher, que é parte de si, criada de uma costela sua, para reaver aquele estado de unidade interior, o seu paraíso perdido.
Na álgebra do ser, duas metades não formam uma unidade, mas uma incompletude ao quadrado! Um verdadeiro sonhador

exprime-se na totalidade. Não há espaço para um mundo incompleto.

Eu sou você

Eu sou você! Eu aconteço dentro de você. Você me vê fora de você porque Eu estou em você... Tudo aquilo que você vê e toca, dos insetos às galáxias, está em você, ou não poderia nem vê-los nem tocá-los.

Tudo está interligado. Nada está separado. Se você pudesse transformar um único átomo do ser, seu menor pensamento, um hábito, uma atitude, uma inflexão da voz... essa mudança explodiria em todo seu ser e seu universo mudaria para sempre...

Mas transformar esse único átomo no ser é como engolir oceanos ou movimentar montanhas no mundo dos eventos. São mudanças apenas aparentes. Na existência de um ser comum, na verdade, nada muda. Seu passado torna-se seu futuro. Tudo na sua vida denuncia sua incompletude. O ser tem medo de qualquer mudança que possa levá-lo ao abandono da trilha confortável e mortal da repetição.

Além da ilusão de mudar, também na sua vida tudo se repete, tudo é sempre igual a você mesmo.

Suas tentativas de refazer uma família, as mulheres que você escolheu, assim como as funções que você ocupou, as casas em que morou, os amigos que teve foram sempre, e de qualquer modo, o reflexo da sua rigidez... manifestações evidentes, acima de tudo, da restrita faixa de existência na qual você confinou a sua vida.

Existem mundos paralelos ao seu os quais somente o sonho pode penetrar.

Se não há nada neste momento que o satisfaça, isto se deve ao estado do seu ser. Você nunca conseguirá aquilo que você quer enquanto permanecer assim.

Você primeiramente tem de mudar a si mesmo para conseguir uma nova compreensão, um novo entendimento, uma nova vida e consequentemente conseguir atrair acontecimentos de um grau superior. Mudar a si mesmo significa antes de tudo libertar-se de si mesmo. Para nascer em um nível superior, você tem de morrer para o nível inferior.

Aquelas mulheres chegaram para tornar fisicamente visível, para denunciar aquilo que você não quis nunca descobrir em si mesmo.

Uni-verso. *Verso* o *uno*

O Projeto está esculpido em caracteres imortais na própria palavra 'universo'.
Aqueles seres humanos pronunciaram a palavra 'universo'.

Uni-verso. Verso (em direção a) o uno.

O monge, de monos, é um ser solitário em direção ao Uno, à unidade; um ser em busca

da sua integridade. É um ser em construção. À porta de sua cela poderia estar escrito 'Em obras'... O hábito e a disciplina que escolheu estão a serviço do seu objetivo de se tornar um indivíduo.
Indivíduo deriva da indivisibilidade e indica a direção do ser humano para a unidade.
É uma condição de extrema raridade. Somente alguns entre poucos, por meio de um árduo trabalho em si mesmos, conseguem tornar-se indivíduos de pleno direito.
'Fora de si" é a verdadeira loucura, o mal dos males do qual a humanidade deve se curar.

O rei é a terra e a terra é o rei

Isto é Economia!
Sem indivíduos, sem a vontade deles em ação, não há nem proveito nem progresso, não há negócios nem riqueza. Eles são o sal da terra. Grandes impérios políticos e fortunas financeiras se desmontam e se desintegram caso eles faltem.

Uma pirâmide organizacional é ligada ao alento do seu líder. Um fio de ouro solda a sua imagem e seu destino pessoal àquele da sua organização e dos seus homens. Seu ser corpóreo coincide com sua Economia, como foi para os antigos soberanos.

> Quando os diques cedem
> e advém a inundação,
> e hordas bárbaras e ataques afluem
> de todos os cantos do mundo,
> significa que o 'paraíso portátil'
> dado ao líder foi perdido,
> e somente a recuperação
> da sua própria integridade
> pode reverter essa catástrofe.

Neste nível de responsabilidade, não há separação entre a própria integridade e a integridade do império. Vencer a si mesmo, reintegrar a unidade do Ser, é a verdadeira vitória.

> Quando o rei adoece, a terra adoece.
> Porque o rei é a terra e a terra é o rei.

Um líder, alguém com responsabilidade, seja homem, seja mulher, dedicado aos negócios, sabe que o seu destino financeiro, a longevidade e o sucesso de seus empreendimentos, e até mesmo a sua saúde física estão diretamente ligados ao seu grau de integridade.

A condição para se transferir de um mundo dividido a um mundo unido é uma só! Existe uma coisa que devemos necessariamente abandonar... o sofrimento. E ainda assim, para o ser humano comum é exatamente este o impossível.

Veja o seu caso. Você gostaria de renunciar ao sofrimento, mas isto exigiria a renúncia de um mundo feito de lutas, conflitos, divisões, que é o seu mundo, o único mundo que você conhece. Somente quem conhece a si mesmo pode descobrir que nada está fora de si... que ele é solitário no universo, o único responsável pelas situações em que se encontra e por tudo aquilo que lhe acontece. Para poder atrair algo de miraculoso, para poder dar concretude ao impossível, um homem deve elevar-se no ser, aproximar-se daquela condição de unidade, de integridade, que é o seu direito de nascimento... É a parte mais verdadeira, mais concreta de cada um de nós: o sonho.

O sonho é a coisa mais real que existe... Tudo aquilo que vemos e tocamos e tudo aquilo que não vemos, dos átomos às galáxias mais distantes, não são outra coisa senão o reflexo do nosso sonhar.

A realidade é o *sonho* mais o tempo

A finalidade do nosso futuro é tornarmo--nos um.

Quando dentro de cada um ocorre essa unificação, quando alcançamos esse estado de integridade, somente então surgem as condições para ser tocado pelo sonho.

A realidade é o sonho mais o tempo.

Tudo se origina do sonho. Tudo aquilo que vemos e tocamos, cada coisa visível, nasce no âmbito do invisível. O tempo o revela.

Visibilia ex Invisibilibus.

Sonhe... sonhe... nunca pare de sonhar... Voe!... e não pare jamais. A realidade seguirá... Para alguém ser tocado pelo sonho, ele deve ter alcançado a unidade do ser. Somente um indivíduo íntegro, indivisível pode sonhar intencionalmente e perceber que o sonho é a coisa mais real que existe.

Todos os homens sonham, todos têm o poder de criar o próprio mundo, mas somente poucos são conscientes e sabem que o sonho é potente... tem a força de enriquecer cada coisa em torno de si, ou de alimentar o pesadelo do mundo.

Somente poucos, dentre poucos, por intermédio da vontade e da própria impecabilidade, podem sonhar um mundo perfeito e concretizá-lo. É a condição do guerreiro, do herói, do indivíduo que ama.

A vontade, você não pode encontrá-la no mundo. A vontade existe somente em você, mas está sepulta. É preciso desenterrá-la!

Um ser que tem constantemente presente seu sonho não pode ser corrompido... Tudo na sua vida é impecavelmente focalizado na sua grande aventura.

Esta é a diferença entre sonhar e programar. Aqueles seres humanos que nutrem um sonho não têm dúvidas, não sentem incerteza nem medo. Toda vez que voltam a sua mente ao seu sonho, sentem renovar-lhes o entusiasmo, entram num estado de liberdade. Porque o sonho é conectado à vontade, é a verdadeira vontade. Ao contrário, quando há um programa, quando se propõe a alcançar um objetivo, toda vez que se pensa, sente-se a ansiedade de alcançá-lo e se cai presa do medo e da dúvida.

O medo e a dúvida são o câncer do sonho.

As pessoas trabalham, planejam e acumulam com uma força e uma energia que você poderia chamar de tenacidade, mas é só medo... Descargas de adrenalina, como tempestades elétricas, continuamente atravessam chispando o universo escuro de suas células.

Estes homens e mulheres parecem seres vitalmente empenhados, idealistas convictos ou empresários determinados, mas na realidade são pessoas leais à morte e atentas à folha de pagamento.

Trabalhe por um ideal. Coloque-se a serviço da humanidade que sonha, que aspira, que pede!

Procure constantemente aperfeiçoar a si mesmo. Tente sempre aumentar a sua compreensão. Pague antecipadamente a sua existência.

Ajude os outros nos seus esforços se houver um sincero pedido.

Este trabalho deve fazê-lo você, a partir do interno. Não posso mais fazê-lo no seu lugar.

Tentei o impossível... fui contra a inflexibilidade do seu destino, que já o havia condenado, para dar-lhe uma oportunidade, para fazê-lo sair da sua condição.

Somente alguém que ama pode ser livre e somente um ser livre pode amar. Liberdade e amor são as duas faces da mesma realidade.

Peça para se tornar um dia o Dreamer.
De todos os possíveis destinos, é o maior!
Peça para se tornar o inventor, o criador do seu universo... Então o mundo obedecerá a cada coisa que você lhe ordenar e dará a você tudo o que você desejar.

Ser tocado pelo *sonho*

Atitudes e eventos da vida são inseparáveis.
A atitude é o evento.
O próximo passo é sempre desconhecido e invisível. A passagem a estados superiores é sempre um salto no escuro, no vazio. Para cumpri-lo, você deve morrer para tudo aquilo que foi até hoje.

Percorrer mesmo que um único milímetro no ser é um salto mortal, um salto cósmico que somente poucos podem dar. A verdadeira diferença entre dois seres é a amplitude do sonho de cada um.

Um ser constantemente preocupado com a sua sobrevivência, que pensa somente em si mesmo – aliás, um falso si mesmo, porque não se conhece –, não pode ser tocado pelo sonho. Um empresário, atrás da aparente busca de lucro, de ganho, mais profundamente de quanto ele mesmo possa saber, está a serviço de um Projeto. É já um ser que faz pelos outros seres, sabe que o aperfeiçoamento deles é o seu sucesso. Sua vida é dedicada. Não tem escolha. Como capitão de um antigo veleiro, ele sabe que deverá retornar com a nave ou afundar com ela.

Somente o sonho pode torná-lo livre, eliminar em você todos os limites.

Somente o sonho pode transformar a pobreza em prosperidade, a dificuldade em inteligência, o medo em amor.

Somente o sonho pode permitir-se o luxo de cruzar o limiar do paraíso perdido.

O paraíso não é o mundo do além... O paraíso é este mundo... em ausência de limites, disse. Ser tocado pelo sonho significa receber a dádiva de uma grande aventura pessoal, significa encontrar-se frente a frente com a própria unicidade.

Os homens devotos a uma descrição do mundo baseada na escassez e no medo não podem ser tocados pelo sonho, porque o sonho é liberdade, e eles, desde crianças vigiados por sacerdotes da dependência e profetas das desventuras, foram educados em prisão. É assim que milhões de seres, para a própria sobrevivência, dependem dos outros. Pode-se reconhecê-los por serem marcados pela mais total ausência de gratidão e pela incapacidade de amar.

Dar é dar a si mesmo...

Para dar é preciso ter e para ter é preciso ser.

Sabe qual é a diferença entre nós?

A diferença entre nós é que meus átomos dançam bêbados do eterno néctar da imortalidade e você é atraído e governado por tudo aquilo que é mortal...

Eu venci a morte e você investiu tudo na inevitabilidade dela.

Eu sou você!

Eu fui você e você será Eu.

Separam-nos éons de tempo e um abismo na consciência. Acelere! Mandando-o ao

Kuwait, dei-lhe uma gota e você a trocou pelo oceano. Agora que eu quero lhe dar o oceano, você recua...

Tome uma decisão de uma vez por todas!!! Trabalhe noite e dia para o seu aperfeiçoamento e não se esqueça nunca mais da sua promessa.

A promessa de mudar. Uma promessa que não fez somente a você, mas a todos os seres luminosos, visionários, que irão querer iniciar este caminho.

> Sonhe um novo sonho.
> Sonhe um novo mundo!
> O mundo é como você o sonha.
> O mundo é como você o quer!
> Você o quis violento, falso, mortal.
> O mundo será diferente
> quando o seu sonho mudar.

Seu contínuo lamentar-se do passado o conduz sempre ao velho. Abandone-o! É tempo de dedicar-se em tempo integral ao Projeto. Prometer em relação ao trabalho não faz sentido. A promessa de um ser comum já é uma mentira.

Mude a sua atitude, agora!... Este é o verdadeiro agir. Os fatos, as circunstâncias e os eventos da vida mudarão no tempo. Deixe aquele trabalho e transfira-se para Londres. Ali você encontrará homens e mulheres que estão prontos a trabalhar com você. Serão as colunas portantes de uma grande revolução: uma revolução individual, psicológica, planetária, que modificará, desde os alicerces, o modo de pensar e de sentir da humanidade, hoje incapaz de enfrentar os desafios que a esperam.

9
O jogo

Crer para ver

> Tudo está ao seu alcance.
> O limite está em você.

Indivíduos especiais, em todas as épocas, encontraram o capital necessário para realizar as suas iniciativas impossíveis somente depois de terem eliminado dos seus seres qualquer tipo de dúvida.
O verdadeiro capital está dentro de nós.
Os recursos que encontramos são o reflexo material de uma prosperidade interna que, independentemente das circunstâncias, sabemos alimentar em nós.
Não se separe mais dos princípios do sonho.

Mantenha-os sempre vivos.

Não permita que esfriem em você, e verá que cada coisa virá em seu benefício. Até a história, a parte mais grosseira e superficial da existência, dará razão a você.

Um ser humano que acredita em si mesmo dá um passo aparentemente no vazio, e somente então inevitavelmente verá o terreno materializar-se sob os seus pés para dar razão à sua loucura luminosa...

Crer para ver, e jamais o contrário!

Mude a sua viiida!

Você pode somente escolher a si mesmo, os seus limites, a sua mediocridade. Passam-se os anos, mas sua vida não muda!

O mundo é assim porque você é assim.

Entre na visão de um Dreamer e pare de se ver como um miserável.

Quaisquer que sejam as condições que governam a existência de um ser, elas correspondem exata e admiravelmente às suas expectativas.
Cada coisa deve ser ganha.
As dificuldades que coloco na sua estrada são bênçãos mascaradas.
Na realidade, elas são marcos que sinalizam a direção da integridade, da inteligência.
Você não tem mais tempo para se lamentar.
Transcenda, transcenda continuamente cada ponto já alcançado, cada aparente sucesso.
Não permaneça nem mesmo por um átimo nas velhas trilhas, nas velhas convicções.
Transcenda a si mesmo.
O mal é o bem de ontem não transcendido.
Mude a sua viiida!
Você ainda está preso no passado. Vender a sua pobreza não serve! Quando vivia na casa de Chiá, você se conformou com a sua escassez, com o seu sofrimento. Esteja atento para não trazer com você o seu passado e as mesmas misérias de sempre... Recorde-se:

Passado é Pó.

Não ande pelo mundo propondo-se... São ainda inúmeros os sinais de escassez... Leve a Minha presença... as Minhas palavras... Leve-meeee!

A casa que você está procurando em Londres não é para você, é para o Dreamer!
Recorde-se disso. Se você trouxer você, o que vier ao seu encontro será frágil e pobre como o é seu mundo... Deixe de lado as suas preocupações e fique próximo a Mim. Descobrirá que os obstáculos não existem, que o único e verdadeiro obstáculo é você mesmo, a sua irredutível crença no limite.

O pagamento

O dinheiro não é real. O real é a visão de um indivíduo, o real são suas ideias. Os recursos e o dinheiro são apenas a consequência natural, alinham-se e assumem as proporções do seu sonho.

Mas se você está mesmo convencido de que o seu problema é falta de dinheiro, então vá ao banco e peça um empréstimo!

O mundo sabe... O banco sabe!

O banco, como o mundo, não está fora de você.

Pode conceder-lhe somente aquilo que você já possui.

No universo não existe nada que lhe pode ser doado.

Um ser humano pode receber somente aquilo que já pagou.

O pagamento pode vir no tempo ou em ausência de tempo! Se existe uma diferença entre os seres humanos, ela está no mundo que eles mesmos escolheram para pagar...

Um ser humano que acredita em si mesmo já pagou por tudo aquilo que possui.

Seu verdadeiro negócio, a sua única ocupação é manter-se intacto e não permitir que nada nem ninguém comprometa a sua completude.

Ele sabe que é a sua indivisibilidade que lhe cria riqueza.

Sabe que o seu destino financeiro depende do seu grau de integridade.

Todos os esforços que você fizer para vencer o canto de dor que existe dentro de você se traduzirão em poder financeiro. Todas as vezes em que você viajar na direção oposta à multidão, você criará riqueza no mundo dos eventos.

Nada é externo!

A auto-observação, a capacidade de circunscrever uma emoção negativa, uma dor, uma dúvida é dinheiro que vem ao seu encontro.
O mundo dos eventos é muito lento para reconhecer quem pagou antecipadamente, quem já saldou as suas contas no invisível. Precisa de tempo para registrar aqueles créditos... porém, a sua administração é infalível.
Você, como milhões de pessoas que amam depender, escolheu pagar com o dinheiro do tempo.

Crédito e débito são a mesma e idêntica coisa, divididos pelo tempo...

O futuro sabe! Obter crédito é apenas um sinal luminoso que indica que o pagamento já foi feito.

Se lhe foi concedido, é porque você já o pagou. Na vida, como nos negócios, existe somente um modo de perder: deixar de acreditar em si mesmo!

Como pode um ser humano controlar os eventos e os fenômenos de dimensões planetárias como o andamento dos mercados, as cotações da bolsa, o clima político, o quadro legislativo, as relações internacionais?

Existe uma Arte de Sonhar, que é a arte de acreditar e de criar, uma capacidade de elevar o ser a níveis mais altos de responsabilidade para atrair novas ideias e maiores possibilidades de fazer e de ter.

A Economia, a Política e também a História obedecem às leis do Ser. Uma mente condicionada ao limite, ao finito, não pode entender isso.

Saiba, pelo menos, que o universo que o circunda é um grão de areia em relação ao Ser. Quanto mais você é, mais você tem. Um ser humano que crê em si mesmo recebe todos os recursos para enfrentar qualquer desafio, até aqueles impossíveis.

A Economia de um ser humano corresponde perfeitamente ao seu grau de integridade. Quanto mais você é, mais você tem, e nunca o contrário.

A Economia não poderá ser guiada pelos economistas. Num futuro próximo, cada organização, da menor empresa à maior multinacional, será uma empresa ideológica, uma Escola do Ser.

Da sua filosofia dependerá o seu sucesso, a sua longevidade, o seu destino. No vértice de cada organização estarão filósofos de ação, poetas e visionários, utópicos pragmáticos, capazes de penetrar no ser e alimentar as suas raízes.

A menor ampliação da visão, uma pequena elevação da compreensão move montanhas no mundo da Economia e das Finanças.

Nós somos o arco, a flecha e o alvo

> A dor é tudo aquilo
> que os seres humanos conhecem...
> Dá sentido às suas vidas,
> faz acreditarem que vivem.

A alegria, a serenidade, a gratidão, o amor são estados de ser que a humanidade como é não pode experimentar. Caso entrassem na vida de um ser humano comum, pareceriam um inferno no seu inferno.

A felicidade pode pertencer somente a quem conhece a Arte do Sonhar. Somente um ser humano que ama, sonha, pode suportar a energia que a ausência de dor gera.

'AIM'... 'I AM'... Nós somos o nosso objetivo... nós somos o arco, a flecha e o alvo... 'The aim', o objetivo que parece sempre fora de nós é, na realidade, o anagrama, o outro perfil de 'I am', Eu sou. Isto nos reporta ao instante, à compreensão do tempo, à eliminação de qualquer distância conosco mesmos.

A arte suprema é a nossa mudança que pode acontecer somente neste átimo.

A existência de um ser humano comum, por mais que possa parecer intensa e atarefada, é apenas uma contínua sujeição a uma repetitividade sem sentido. O objetivo da nossa vida é fazer de nós uma obra-prima.

É uma viagem que todos, mais cedo ou mais tarde, no tempo de uma vida ou de cem vidas, deverão enfrentar. Não existe nenhum outro objetivo, assim como não existe nada mais excitante no mundo.

Vim para libertá-lo

Lamentar o passado o coloca de novo sob as mesmas leis de seu passado e anula todo o trabalho feito nestes anos...

Na estrada da integridade não existe espaço para nenhum arrependimento.

Uma vez iniciada a viagem, não volte atrás!
Sem cercas nem limites você não sabe ao que se agarrar. Esse estado de incerteza e apreensão acrescenta ainda mais medo ao medo que você sempre carregou dentro de si.
Depois do nascimento físico, com o corte do cordão umbilical, a criança é entregue a dois novos progenitores: a dúvida e o medo. No entanto o encontro com a Escola permite um novo nascimento e o corte deste cordão umbilical. É um retorno aos verdadeiros progenitores: o sonho e a vontade. A ausência da dúvida e do medo é um estado de êxtase, de liberdade que somente um ser íntegro pode sustentar.

É isto que eu lhe estou oferecendo. A liberdade é árdua, o seu preço é muito alto, mas não por isso inalcançável.
Você ainda procura entre as sombras do passado alguma velha máscara para usar... Você sente falta dos papéis que interpretava...

Um homem não pode ser guiado pelo passado, nem pelas experiências que viveu.

Passado é Pó!

No caminho da integridade, deverá confiar nos novos sentidos: a intuição, e no sétimo: o sonho.
Os papéis são prisões... As suas barras são invisíveis, porém mais sólidas que o aço. Deixar o trabalho ou mudar de país sem entender não adianta... nem poderá fazê-lo livre.
Para poder sair da prisão dos papéis que desempenha, um ser deve sentir-se desiludido com a estéril repetição dos eventos e as circunstâncias da própria vida.
Sobre pontes não se constroem casas, não se vive. Os papéis, como as pontes, servem para ultrapassar um limite definido, são feitos para ser superados.
Os homens hesitam e em vez de atravessá-las permanecem ali, acuados, sem saída.
Na senda da integridade, cada instante deve

ser novo... cada instante deve servir para transcender o instante precedente... cada respiração deve ser um ato de gratidão dedicado a elevar o ser a novas zonas de liberdade.

Os papéis são máscaras para vestir. Vêm interpretados intencionalmente. Interpretá-los significa não acreditar neles!
Libertar-se de um papel é condição a que se chega somente quando você aprender a interpretá-lo perfeitamente.
Um papel interpretado intencionalmente não somente nos liberta como também liberta o mundo de sua rudeza, de sua violência.
Quando você se identifica com o mundo, acredita nele, não somente você se torna escravo dele, como também agarra-se a ele como se fosse a coisa mais real, a sua única certeza.
Acreditar em um papel, qualquer que seja, significa mentir a si mesmo.
Por isso, ninguém, seguindo um percurso comum, poderá libertar-se dos papéis... aliás, nem o desejaria!

Ao contrário, para um ser comum, abandonar um papel é como pedir-lhe para renunciar à vida... abandonar o salva-vidas em mar aberto. Os seres humanos são ligados aos seus papéis e sobretudo aos sofrimentos a eles inerentes mais que à própria respiração.
Os papéis são escudos atrás dos quais os seres, fingindo estar entretidos naquela ação, defendem a própria falta de responsabilidade.

Interpretar os papéis

É isso o que você deve transformar... exatamente o que você está sentindo agora!
Observe-se! Você pode continuar a acreditar que este estado seja provocado por Mim e pelo que digo. Na realidade, a dor está estagnada dentro de você... há muito, como um palude, um pântano de água morta.
É o sintoma de uma ferida ainda aberta; é ela a causa de todos os seus desprazeres... Contenha essa dor... Compreenda-a. Ame-a. Não fuja!

O JOGO

A partir do momento em que você se identifica com os papéis, você já esqueceu o jogo. Não há nem interpretação nem teatralidade. Um evento, uma situação ou um encontro desencadeiam em você reações mecânicas, como a mola comprimida de uma armadilha para ratos.

Imagens mentais, pensamentos, emoções, sensações submetem-se a esquemas mecanicamente preestabelecidos; os músculos do rosto se contraem para assumir determinadas expressões; dos lábios afloram usuais e características palavras... e você se torna um refém... até que novas condições e novos encontros lancem-no em outra armadilha.

Um papel deve ser interpretado sem que acreditemos nele. É possível somente a quem conquistou certo grau de conhecimento e domínio de si mesmo: um resultado que requer ordem, disciplina e um longo trabalho de auto-observação.

Cada papel, para fixar-se na nossa vida, requer o aprendizado de uma linguagem específica: gestos, comportamentos, atitudes e toda uma gama de expressões faciais e verbais. Assumir um papel pressupõe a aceitação de inteiros blocos de ideias, pacotes completos de convicções pelos quais se pensa e se sente. Esta aprendizagem é uma questão complexa. Frequentemente, um só papel pode exigir de alguém a sua prática e aplicação durante toda uma vida que pode transcorrer sem que nele amadureçam a vontade e a responsabilidade suficientes para superá-lo e ir além.

Cada ser humano, pelas necessidades da sua existência comum, aprende e exercita um número limitado de papéis, cinco ou seis no máximo. Ao se modificarem as circunstâncias, ele passa de um ao outro como um autômato, sem intecionalidade, condicionado pela muidança das condições externas. Ao contrário de quanto ele possa acreditar, isso não tem nada a ver com liberdade de decisão.

Liberdade significa interpretar intencionalmente qualquer papel sem ser prisioneiro. Em um ser comum, esta capacidade, já quase nula, com a idade diminui sempre mais e mais, até desaparecer. A consequência é que, quando se apresentam situações apenas diferentes das habituais, fora daqueles poucos papéis que já conhece, ele não sabe mais que máscara usar.

Quem percebe que tem um limitado repertório de papéis e reconhece a tirania dos vínculos que eles impõem à sua ação já deu os primeiros passos em relação à liberdade.
O papel é um jogo prazeroso, se interpretado. Identificar-se, esquecer o jogo é fatal.
Os papéis são os degraus de uma escada. Não se acomode em nenhum deles. Use-os! Use-os para apoiar o pé e continuar a subida!
Cada degrau deixado para trás é uma aproximação da cura.

Aprenda a elevar a qualidade do Ser e cada papel será velozmente abandonado como uma roupa que você despiu. Isto se chama consumar um papel e significa libertar-se definitivamente.

Assim você libera o mundo da ingrata tarefa de revelar-lhe os infernos que você carrega dentro de si; você libera o mundo do imenso esforço de refletir cada falta sua, cada dor, cada morte.

O caminho de retorno

Tudo aquilo que está fora de nós, o mundo que vemos e tocamos, as pessoas, as circunstâncias e os eventos que encontramos são uma revelação do Ser, uma verificação do nosso modo de pensar...

Os papéis nos quais estamos ainda enredados revelam nossas feridas que ainda não cicatrizaram. Os eventos servem para revelar os estados que os originaram. Somente uma Escola do Ser conhece a linguagem simbólica dos eventos e pode traçar o caminho de volta, passando por labirintos, desertos, infernos interiores até os estados mais internos, fonte verdadeira de cada acontecimento.

Por muitos anos você acreditou que o mundo fosse real, que tivesse vontade própria. Elegeu-o patrão e senhor da sua vida.

Por muitos anos você conferiu poder a uma sombra que você mesmo projetou.

> Coisas não mudam e não podem mudar...
> Só você pode mudar.

Foram necessários anos de preparação para fazê-lo perceber a fragmentação do seu ser... anos e anos para fazer você reconhecer o sono hipnótico que tiranicamente governa a existência de todo ser humano.

Eu trouxe ordem à sua vida... Eu o liberei de compromissos e programas para que, agora, você possa dedicar-se a juntar os princípios de um sistema educativo que indique a via de saída dos infernos da mediocridade e do comum.

Existem homens e mulheres que você deverá encontrar...
Não existe uma finalidade. É isto que torna o jogo dos encontros interessante, único... eficaz. Você deverá ter centenas de encontros sem nenhum outro objetivo senão o de reconhecer em cada um desses homens e mulheres um fragmento de você. Se você se recordar de Mim, da sua promessa, cada encontro que tiver será a oportunidade de confrontar-se com uma parte desconhecida, não resolvida de você mesmo.
O tempo que isso exigirá dependerá somente de você. O jogo dos encontros terá a duração da sua incompreensão e a rigidez das suas resistências.
Por meio do jogo dos encontros você perceberá que o mundo é uma criatura sua e que os outros são seu reflexo... E ainda que

esse resultado exija anos de trabalho, pelo menos você enfraquecerá dentro de si a velha convicção de que o mundo tem o poder de elegê-lo ou de abatê-lo, de que os outros podem amá-lo ou combatê-lo, de que existe fora de você uma vontade hostil que controla e governa sua vida.

O mundo existe porque você existe. O mundo está vivo porque você está vivo... O mundo é a sua sombra... O ser humano gostaria de encontrar nele a inteligência que sente dentro de si... e assim ele passa a sua existência procurando a vida entre fantasmas... e crê numa realidade fora, além de si...

Desperdiça o seu tempo escavando entre as sombras!... Se você o faz e identifica-se com elas, se tornarão sempre mais reais, e o mundo externo, um fetiche, um deus a idolatrar, a temer, a propiciar... porque você esqueceu qual é a sua verdadeira identidade, porque você abdicou do seu direito de artífice...

Não se esqueça: os outros são você fora de você; os outros são reflexos de tudo aquilo que você não quer ver, sentir e tocar dentro de você.

Vocês são Eu, fragmentos de Mim... aparentemente em exílio.

O atalho

Comprimir o tempo é o que lhe permitirá o jogo dos encontros. Conhecerá de si aquilo que um ser comum não conseguiria reunir nem em dez vidas!

Para você, o mundo é muito real. Somente o jogo o libertará dessa descrição petrificada, rígida e permitirá o acesso a uma visão mais fluida, mais líquida do mundo.

O mundo é uma emoção.

Os encontros servirão para medir seu grau de responsabilidade, ensinarão a se conhecer em profundidade. Você perceberá que cada homem ou mulher que encontrar é uma parte desconhecida de você mesmo, uma oportunidade para ver em si mesmo uma ferida, uma doença escondida, e poder curá-las...

Não tem nenhuma importância o que você vai falar. Você faz esta pergunta agora porque ainda continua a acreditar que os outros estão fora de você. Na realidade, os outros são estados de ser percebidos no mundo dos eventos... Os outros são o tempo.

Também o missionário vai encontrar a si mesmo, as suas dúvidas, os seus medos, a sua divisão. Ele se coloca entre os supersticiosos para vencer sua superstição. Vai ao mundo do sofrimento para curar as suas chagas, para remontar à fonte, à verdadeira causa.

E ainda que não sabedor disso e nem acredite estar fazendo pelos outros, na realidade são os outros que estão fazendo por ele, cuidando dele. Uma vez tenha ele compreendido quais estados em si mesmo tornaram necessária a sua missão, ele se curará e deixará de ser um missionário. Colocará alguém no seu lugar e irá avante.

Em relação a quem você encontrará, por enquanto basta saber que eu mesmo os identificarei e os indicarei a você. O importante é você aprender a ver.
Se vir, terá feito sua a história daquele homem ou daquela mulher e rapidamente acrescentará a si o resultado de anos de experiência, esforços, sacrifícios, sucessos e quedas.
Vê-los significa reconhecê-los dentro de você como feridas a serem cicatrizadas, órgãos a serem curados.
Ver significa perdoar-se dentro. Então cada encontro se tornará um degrau para apoiar o pé e seguir adiante.

Onde quer que se encontrem, por poucos instantes ou por anos, no deserto ou em uma negociação, dois homens formam inevitavelmente uma pirâmide, dispõem-se em diferentes níveis de uma escala invisível, respeitando uma ordem interior, matemática, uma hierarquia planetária, constituída de luminosidade, órbitas, massa e distância do Sol.

A humanidade como é não busca sua cura.
Não a quer.
É obrigada a progredir mecanicamente, sob o impulso de forças desconhecidas...
O sofrimento e a dor são a força motriz de sua evolução.
Embora pareça que a maioria das pessoas tenha trocado o próprio progresso pela aparente segurança de uma carreira, ou pela miragem da riqueza econômica ou de um sucesso artístico, na realidade até mesmo a mais comum dentre elas não pode escapar de um involuntário, mecânico, imperceptível processo de cura.
O trabalho nas organizações, o afã dos papéis, os antagonismos, o sofrimento e os problemas

que a vida inevitavelmente lhes apresenta, no conjunto, formam uma disciplina necessária que melhora o ser e o projeta em direção a zonas mais altas de liberdade.

É um sistema muito lento! Uma vida inteira poderia não ser suficiente para percorrer um só milímetro na verticalidade do Ser.

Você ainda está preso àquilo que pensa ser você. Por isso, o que verdadeiramente observará nos encontros não é quem você é, mas quem você não é, o homem que você tem acreditado ser.

Poderia dizer que o estudo de si mesmo, a auto-observação, é luz. Quando a luz vem, as sombras desaparecem, e tudo aquilo que em você é verdadeiro e real permanece, enquanto tudo aquilo que não é, ou que você acreditou ser, desaparece...

No jogo não há nada a planejar. Você deverá inventar na hora e interpretar intencionalmente papéis e linguagens de existências jamais vividas. O instante lhe sugerirá a estratégia, as palavras a usar e tudo o mais que deverá saber para satisfazer o encontro.

Encontrará homens e mulheres especiais que em seus meios são verdadeiros mestres. Como máquinas perfeitas, altamente especializadas, atingiram, nos limites do "mundo-papel" que interpretam, uma absoluta impecabilidade...

Atrás de cada encontro, além da aparente superficialidade das relações sociais, existe alguma coisa de especial: um encontro com uma multidão de tipos humanos traça a vereda em direção da integridade.

Os outros revelam você, medem-no e refletem impecavelmente o seu próprio grau de responsabilidade.

Aparentemente, as pessoas encontram-se para tomar decisões, para concluir negócios, mas não são conscientes do que realmente acontece nas suas relações. Encontrar-se é um pretexto. O verdadeiro relacionamento acontece em outro nível. além das aparências, quando dois homens se encontram a aposta em jogo é bem mais alta.

Cada pessoa que você encontra é uma porta. Pode impedir o acesso ou transformar-se em um degrau para ir além.

Cada encontro avalia e determina o seu posicionamento na escala da responsabilidade humana. Recorde-se! Os outros são você!...

No jogo não poderá encontrar nenhum outro senão você mesmo.

No espaço de poucos segundos, deverá saber qual parte de você está à sua frente e deverá no mesmo instante entender o objetivo daquele encontro, qual máscara usar, e sustentar o papel que o outro, homem ou mulher, quer que você interprete.

A diferença entre vocês no jogo é que você sabe estar interpretando, e o outro interpreta não sabendo. É uma distância infinita, uma diferença de eternidade. Uma diferença que lhe permitirá, em uma velocidade extraordinária, escalar verticalmente a pirâmide dos papéis humanos, conquistando posições que no mundo horizontal exigiriam anos ou muitas gerações para ser conseguidas.

Comprimir o tempo

Quando dois se encontram, inevitavelmente um contém e o outro é contido...
Significa ser responsável por todo o seu mundo, pelos papéis, por sua vida e por todas as vidas que dependem dela. Significa conhecer a solução de qualquer dificuldade da outra pessoa, a resposta a cada pergunta que ela faça.
Se você não conseguir, deverá caminhar pelas vias comuns: o tempo e a experiência. Uma oportunidade de encontro não aproveitada poderá exigir anos e anos para se reapresentar e lhe permitir ter acesso a zonas superiores do ser, em direção à inteligência, à integridade.

Aquele exame, então, você deverá repeti-lo, se tiver tamanha sorte, em uma outra ocasião.

É um jogo difícil e perigoso. Um olhar, uma palavra, o menor movimento ou pensamento poderão traí-lo e fazê-lo cair em uma armadilha mortal! Um homem sem Escola fica à mercê da circunstância: caminha pelo jogo dos encontros, mas não conhece as regras, não tem o mínimo conhecimento da verdadeira aposta em jogo nem mesmo sabe que é um jogo.

> Quem vê o jogo o conduz;
> quem não o vê é sua vítima.

As coisas na vida de um ser humano reúnem-se no único modo possível e refletem seu grau de compreensão, sua impecabilidade.
Se você contiver o outro, não poderá errar: sentirá uma alegria imensa por ter levado luz, cura a um outro ângulo do seu ser.

Quando isto acontece a alguém, o Universo inteiro sabe.

Os seres humanos e as coisas fazem parte de um único tecido conectivo... Um sistema nervoso planetário liga entre si todas as células da humanidade. Sozinho, em um canto de um quarto, um ser humano comunica a todo o Universo a sua condição, o seu próprio nível de responsabilidade, a sua intenção.
Não há como trapacear, nem existe espaço para interpretações.

Os outros revelam você

Não faça ideias erradas. Eu já lhe falei... No jogo não existem vencedores nem vencidos.
Sua visão é ainda o fruto de uma separação interna, de uma descrição do mundo que lê somente pelos opostos e antagônicos...
Na realidade, o duelo acontece sempre e somente em você mesmo.

A relação com o outro é apenas o aspecto mais superficial e visível daquilo que de fato sucede em um encontro.

E ainda que você possa temer que o outro lhe tire de golpe tudo aquilo que você acumulou em anos de preparação, na verdade é em você, e somente em você que se decide a sorte.

O encontro com um homem de responsabilidade superior é sempre uma aceleração, mesmo que não o saibamos.

Encontrar um homem que contém você é uma bênção. Quem apoia o pé e vai além não abandona o outro ao seu destino. Ao contrário, torna-se responsável. Ele sabe que a própria evolução é também a evolução do outro. O progresso de um ser humano, a cura de uma só célula acelera o progresso de toda a humanidade...

Pense quanto material de estudo e quantas oportunidades os outros lhe oferecem para perceber que não existe limite para o sucesso, porque a verdadeira vitória é vencer a si mesmo, por meio da harmonização dos opostos dentro de você, neste preciso instante.

Na falta dessa inteligência, dessa vigilância interna, os seres humanos encontram-se no sono, isto é, atribulados pelas preocupações, obscurecidos pelas dúvidas e medos, perdidos no cotidiano. Encontram-se para conseguir objetivos ou adquirir vantagens insignificantes, superficiais, sem valor.
Perderam o verdadeiro objetivo. Falta-lhes o conhecimento do jogo... esqueceram... não interpretam mais... tornaram-se o próprio papel!
Sobre a via da impecabilidade, no mundo de um ser de responsabilidade existe espaço somente para vencer a si mesmo, a própria mediocridade, a mentira, a identificação com o mundo.

MANUAL ESCOLA DOS DEUSES
Interpretar intencionalmente
A Arte da Interpretação

Existe máscara justa para se usar em cada ocasião. A capacidade principal, no jogo dos encontros, é a arte que você deve desenvolver: a arte do disfarce.

A Arte da Interpretação é a capacidade de o guerreiro viver estrategicamente. É esta capacidade que lhe permite ser pontual, assumir a cada vez a atitude mais justa de acordo com a circunstância.

Aprenda a viver estrategicamente, aprenda a interpretar intencionalmente, e saberá sempre qual imagem oferecer em cada situação. Somente quem interpreta pode manter presente as mil peculiaridades que tornam um encontro único, diferente de qualquer outro já acontecido ou que possa acontecer em toda a história do mundo...

Aprenda a interpretar. Somente quem interpreta pode governar a própria vida e a dos outros, pode vencer e ser livre!
Ser você mesmo... ser você mesmo... Alguém como você, que viveu na falsidade, na prisão dos papéis por toda a vida, não sabe nem ao menos por onde começar a ser você mesmo.
Viver estrategicamente não é oportunismo e não significa mentir, mas é um ato de guerreiro, de quem assume as semelhanças, cumpre os atos que a situação exige e que o mundo está pronto a receber. Somente quem vive estrategicamente pode sobreviver... Interpretar é liberdade.

O teatro não é um lugar físico, mas um estado de ser, um local da psicologia em que se harmonizam as grandes faculdades do ser humano, e no qual a palavra – fusão de pensamento e respiração – encontra o gesto!

MANUAL ESCOLA DOS DEUSES
O jogo dos encontros

Seja vigilante, atento a todo instante, a cada abaixamento seu. Observe-se! Ocupe cada parte do seu ser com a lembrança da sua promessa.

Quem não tem presente o sonho – a força real, misteriosa e invisível que guia o mundo – é um fragmento perdido no universo.

A característica fundamental é que devem ser impecáveis e impiedosas. Um dia você saberá que nenhum encontro pode acontecer fora de você. Os homens e as mulheres que encontrará se revelarão fragmentos de você, que deverá juntá-los como peças de um único mosaico. Cada um deles representa uma das suas vidas possíveis... No oceano da humanidade, cada um deles é uma gota que reflete um aspecto da sua psicologia... Recorde-se: os outros são apenas espelhos. Não há ninguém a acusar ou criticar. Uma pessoa encontra sempre e somente a si mesma!

Cuide-se em tudo... esteja atento!
Cuide minuciosamente de cada aspecto da sua vida.
Olhe-se dentro!...
Seja consciente de tudo aquilo que entra e sai do Ser...
Nosso Ser cria a Nossa Vida...
O Ser cria o mundo...
Um homem atento sabe que por meio do menor gesto está ajustando o universo.

O novo paradigma

Se você souber interpretar impecavelmente, se diante do exame do seu interlocutor você se apresentar convincente, então isso significará que aquele dinheiro já está no seu bolso. Você está completamente enganado. Os conceitos recebidos em casa fizeram-no acreditar que se tivesse dinheiro e meios suficientes poderia fazer tudo o que desejasse e, portanto, sentir-se-ia seguro, seria rico, feliz, respeitado.

Ter-Fazer-Ser

é o paradigma dominante, a súmula da mitologia de uma humanidade degradada e a causa de todos os seus males e desgraças.
Este esquema mental é comum a milhares de seres. Você deve invertê-lo! O paradigma de uma nova humanidade é

Ser-Fazer-Ter

Quanto mais você é, mais faz, mais tem. Ter e Ser são a mesma coisa em planos diferentes da existência.
Um encontro em Paris, a visita a um elegante loja de roupas ou a uma famosa joalheria, tudo contribui para ser reconhecido no invisível Ser daquele negócio.
É verdade, você não sairá com aquele relógio valioso no pulso, e aquele casaco não estará no seu guarda-roupa, mas terá exercitado a capacidade de possuí-los...
Estilo é consciência, treina o ser... Cada esforço para entrar em faixas mais ricas da

existência é útil para você vencer seu senso de escassez.

Exercite-se abundantemente, eleve a sua visão e sonhe o impossível, crie uma consciência de prosperidade, que é a verdadeira origem de toda a riqueza e a condição para poder mantê-la.

O dinheiro fabrica-se dentro.

Sonhe, visualize constantemente a harmonia e o sucesso, e você os obterá.

O dinheiro será somente uma consequência natural.

E aí ele chega sem esforço e você não terá mais medo de perdê-lo.

O dinheiro deve chegar sozinho, naturalmente, por efeito da sua prosperidade interna...

Então você o sentirá crescer e crepitar no bolso, como pipoca.

O gosto é consciência.

Comprar um objeto ou uma roupa pode parecer o objetivo para entrar em um negócio.

É apenas um álibi. Aquilo que realmente você adquire é consciência.

Tudo o que você vê concentrado nesta rua é a materialização de um grau da consciência humana. Não compre nem mesmo uma agulha aquém deste nível de cuidado, de atenção, de amor.

Semelhante atrai semelhante

Um ser encontra sempre a si mesmo e escolhe a si mesmo. Tudo corresponde perfeitamente ao seu grau de atenção.

A consciência é dinheiro!

O Ser é que decide o ter. Uma pessoa pode ter somente o dinheiro que é capaz de sonhar, de visualizar, de imaginar... Quando você tiver feito um trabalho sobre o ser, quando tiver simplificado, enriquecido, sublimado sob todos aspectos, a abundância, a prosperidade, a beleza lhe corresponderão. Isto se chama consciência de prosperidade. O dinheiro para permitir-lhe tudo isso virá sozinho, sem esforço, por atração da gravidade, como uma simples consequência da elevação que você conseguir.

Os objetos têm uma alma. Aparentemente somos nós a escolhê-los, mas na realidade são os objetos que escolhem quem os pode possuir. As coisas sabem com quem andar e quem abandonar. Você pode possuir somente aquilo pelo que é responsável.

Não deixe que a escassez o distraia. Coloque toda a sua atenção no sonho, nos bens inalienáveis que são direito de nascimento de todo ser humano: integridade, beleza, liberdade, inteligência, amor, verdade.

Projete dentro de você riqueza, elegância, bom gosto, estilo.

Quem é senhor de si mesmo governa o mundo. O mundo reconhece-o e é feliz em servi-lo. Cada uma dessas lojas é um guardião do invisível. Quando você tiver superado os limites e os obstáculos internos... quando tiver eliminado a dúvida e o medo que ainda separam você do invisível, todo o mundo será informado da sua passagem àquela faixa da existência. O mundo sabe tudo sobre você!

A repetição

Aquele homem, não vai conseguir nada! Já fracassou, antes mesmo de começar... Com aquele movimento ele colocou a cabeça na guilhotina!

A questão não é se é certo ou errado admirar uma bela mulher. Aquele movimento de cabeça, o comprazer-se do olhar revelam uma ausência de determinação... são sintomas de corruptibilidade... Aquele gesto é o resumo de toda a sua vida; afunda as suas origens em estratos e mais estratos de desatenção, descuido, confusão emocional... sedimentados ao longo dos séculos.

Aprenda a não tirar a atenção do alvo a atingir... Esteja vigilante, impecável, não se desvie...

Quem consegue fixar um ponto sem jamais se desviar dele – nem com o olhar, nem com a mente – pode tudo!

Cada instante tem o seu alvo a atingir... Não perca a mira. Desviar é o verdadeiro e único pecado.

Pode até pensar que isso seja exagerado, mas com um só movimento uma pessoa revela a sua vida e o seu destino. Aquele homem está denunciando a sua inconfiabilidade. A existência não dirige nada sobre seres dessa classe... Não somente não terão mais, mas perderão até mesmo aquilo que acreditam ter.

Esperar do mundo

Procure, procure alguém que sabe e descobrirá que ninguém sabe nada!

Não são derrotas. São apenas indicações do que e de quanto ainda há para fazer. O jogo é dirigido a fazer você perceber que não há ninguém a invejar ou a quem pedir ajuda; que não é você quem depende do mundo, mas é o mundo que pede sua clareza e direção. A realidade é uma criatura do sonho.

Mantenha-se livre interiormente. Pare de ser reativo! Reagir ao mundo significa tornar-se vítima dele. Quem espera alguma coisa do mundo já está derrotado. O maior segredo é saber que todo o mundo está a seu serviço para melhorar você; é perceber que cada coisa, evento ou circunstância é alimento, nutrição, propelente para a sua viagem.

Só aparentemente eventos e pessoas estão ali para atrapalhar e impedir que você vá avante. Quem vê sabe que o mundo é um local de treinamento, uma academia do ser, lugar para agir e interpretar, experimentar e reexperimentar, até que a interpretação da existência fique impecável; é um local para

treinar os músculos da responsabilidade até que o ser se torne mais íntegro, mais livre.
Cedo ou tarde todo ser humano deverá se encontrar com tudo aquilo que serve para equilibrá-lo e completá-lo. Acelere! Procure os outros, crie as ocasiões para dar logo cabo das falhas, para eliminar as incompreensões, para saldar as contas com o passado.

Este livro é para sempre!

Escreva! Se escrever, sua vida não será inútil... Escute e escreva!...
Escreva um livro que seja para sempre... um dia você saberá que a sua vida teve significado só por isso... Um livro que possa ser lido somente por quem já estiver preparado, por quem já estiver no caminho em direção a um estado de cura, por quem já colocou em discussão a velha descrição do mundo conflituoso, mortal.

Escreva um livro corajoso, que conte fielmente tudo aquilo que você viveu ao Meu lado. Que faça o mundo entender que o sonho é a coisa mais real que existe. Um livro que elimine toda a superficialidade e a mentira e abale pelos alicerces as convicções mais radicadas da humanidade comum.

Escreva um livro que traga à luz as leis universais sepultadas no Ser de cada homem.

O Livro será combatido e encontrará no *establishment* e na multidão os mais ferozes Antagonistas. Porém, ao mesmo tempo, pode acreditar: alcançará aquela parte da humanidade pronta a escapar dos infernos do comum e da mediocridade.

10
A Escola

A visão vertical

Uma espécie humana completamente transformada está para aparecer em cena.
O novo ser humano rompeu o velho invólucro, furou o casulo mental que há milênios aprisiona a humanidade.
A velha humanidade, enredada em uma visão plana da realidade, vê somente por intermédio do jogo dos opostos, percebe e sente somente por intermédio da polaridade, antagonismos e contrastes.

Visão e realidade são a mesma coisa

O ser humano horizontal tem uma visão conflituosa do mundo, e esta é a causa primeira de toda a sua aflição.

A história da sua civilização é o reflexo fiel de uma psicologia fragmentada... uma história de guerras e destruição.

Até mesmo a sua ciência, a atividade da qual tanto se orgulha, é o produto do confronto entre dois conceitos antagônicos... bem e mal, verdadeiro e falso, belo e feio, como uma faísca que ainda nasce da fricção de dois sílex entre as mãos de um selvagem.

A característica que distingue o ser humano é a consciência da ilusão dos opostos.

Aqueles que a velha humanidade considera opostos são, com efeito, as duas faces da mesma realidade, como as duas extremidades de um mesmo bastão...

Bem e mal, verdadeiro e falso, belo e feio não são modalidades contrárias da existência, mas graus ou níveis do real...

Atrás dos aparentes antagonismos, incessantemente age uma força harmonizadora capaz de fundi-los e reconduzi-los a uma ordem superior.

A esses primeiros exemplares, mostruário de uma nova humanidade, a realidade não se mostra mais unívoca, ilusoriamente definida pela polaridade e pela contraposição, mas feita de níveis. A esse novo sentido o Universo não se apresenta mais categoricamente separado em opostos, mas feito de estratos de realidade. Alguma coisa não é verdadeira ou falsa, mas é, ao mesmo tempo, verdadeira e falsa, nem verdadeira nem falsa, nem não verdadeira nem não falsa...

> O mal de hoje é o bem de ontem
> que não foi transcendido.

Aquilo que um ser humano indica como mal é sua condescendência com o bem de ontem.

> A perfeição de ontem nada mais é do que
> um degrau em direção à nova perfeição.

Assim as vê o ser horizontal. Na realidade, morte não existe... Somos feitos para viver para sempre! A prova mais evidente da onipotência do ser humano é o seu poder de tornar possível o impossível: a morte... O corpo é indestrutível. Somente a ausência de vontade, uma vontade involuntária, uma onipotência inconsciente podem destruí-lo.

A morte é a imortalidade vista de costas.

É preciso educar as células da nova humanidade uma por uma. A harmonização deve acontecer em cada ser humano. Tanto em Economia quanto em Política, é preciso preparar uma nova geração de líderes, uma aristocracia decisória... homens e mulheres que conheçam a Arte do Sonhar, a arte de acreditar e de criar.

Uma Escola para sonhadores pragmáticos

É preciso forjar seres humanos visionários.
É preciso escolas novas. É preciso escolas de

preparação para homens capazes de trazer soluções... escolas para homens solares, sonhadores pragmáticos.

Esses serão os líderes de um novo êxodo, um êxodo psicológico de proporções planetárias. Milhares de homens e mulheres abandonarão a escravidão de suas lógicas conflituosas em troca de uma visão vertical do mundo, baseada na capacidade de harmonizar os antagonismos internos.

Unicamente líderes visionários... homens livres de qualquer ideologia ou superstição poderão transferir a humanidade da praia psicológica do ser humano comum, fraco e fanático, àquela do ser humano novo, íntegro, inspirado nos princípios de uma espiritualidade laica.

Fundará uma Escola do Ser, uma universidade para quem tem um sonho a realizar. Nessa Escola se ensinará que o sonho é a coisa mais real que existe, que isto que o ser humano chama realidade não é outra coisa senão o reflexo do seu sonho.

Criará uma Escola da Responsabilidade, uma Escola para filósofos de ação, na qual se ensina que a felicidade é Economia, que a riqueza, o bem-estar e a beleza são direito de nascença de todo ser humano. Criará uma Escola que não terá fim, a Escola dos Deuses. Essa terá o Meu passo, o Meu alento.

Não tema nenhum ataque. Aparentemente você terá obstáculos de todos os modos, mas todas as dificuldades ou todos os inimigos demonstrarão ser, na verdade, seus melhores aliados, parte integrante e insubstituível dessa construção.

Uma escola de Economia é uma escola de Filosofia!...É tempo de criar uma Escola para sonhadores, local em que os gigantes da Economia amarão ensinar.

Tudo aquilo que conta e é real em um ser humano é invisível. Assim também é em

Economia. Existe um eixo vertical da Economia, um plano de ordem superior, um mundo das ideias e dos valores morais de que dependem os fatos econômicos.

É portanto no mundo invisível das ideias, dos valores ideológicos e morais, da filosofia e da linguagem que encontramos a origem, o motor dos fatos que se projetam visivelmente no mundo da Economia e dos Negócios.

Além das pirâmides da indústria, além das torres das finanças, por trás de tudo o que se vê e se toca, atrás de tudo que de útil, belo e verdadeiro conquistou a humanidade... na origem das instituições, das conquistas científicas... existe sempre o sonho de um ser humano, de um indivíduo.

Ao indivíduo, à sua preparação, dedique cada respiração! Coloque-o no centro da sua atenção. A massa é um fantasma... um mecanismo influenciado por tudo e por todas as coisas... Não há fé, não há uma vontade própria... não pode criar. E de fato nunca criou nada. Sua função, a razão de sua existência é destruir. O indivíduo e a multidão são as duas faces de uma mesma realidade, os pistões de um mesmo motor. O indivíduo cria, a multidão destrói.

Cabe a você decidir ao qual pertencer. O indivíduo é a única realidade... é o sal da terra.

Funde uma Escola para indivíduos, uma escola sem fronteiras! Reúna os sonhadores de todo o mundo... sem distinção de nacionalidade, de cor, de credo, de classe socioeconômica... Uma Escola em que o sujeito mais importante a ser estudado é você mesmo, em que a capacidade de fazer e de agir é o resultado mais concreto do amar-se dentro.

Este livro é para sempre!

Um dia você saberá que a sua vida teve sentido somente porque você Me encontrou, que escrever Minhas palavras é a única razão pela qual você nasceu.

As escolas e as universidades da primeira educação também ensinam a sonhar. Mas, o sonho que projetam é a escassez... os ensinamentos são a dependência, a dúvida, o medo, o limite... Atrás da máscara da presunçosa erudição esconde a dor e um canto incessante de derrota.

Todo o conhecimento, os métodos e as teorias advindas de fora podem ser necessárias como pontos de partida, mas devem ser logo abandonados por uma fonte superior de entendimento de tudo.

O sonho do Sonho

O sonho do Sonho é vencer a morte, e antes ainda aquilo que a tornou possível, a ideia da sua invencibilidade.

O paraíso portátil

> A vida é como você sonha.
> Sempre encontramos
> aquilo que sonhamos.

É inevitável que encontremos tudo aquilo que sonhamos. A vida já é um paraíso terrestre para quem construiu e alimenta constantemente em si um paraíso portátil.

A humanidade, aflita com a pobreza, com a criminalidade, com os infinitos conflitos, pode ser curada somente célula por célula. É uma transformação alquímica que deve produzir-se em cada ser humano a fim de que haja uma reversão das convicções e uma difusão por transfusão de vontade, de luz... Somente uma educação individual pode fazer isto.

Uma Escola para seres livres, dedicada a descobrir a unicidade de cada indivíduo, uma Escola de responsabilidade não pode ser de massa. A educação em massa é uma contradição nos próprios termos: se é em massa não é educação; e se é educação não pode ser em massa.

Ser dos países do terceiro mundo reduziu-[se] a níveis tais a ponto de não poder susten[ta]r o seu ter, como acontece a um ser huma[no] que se encontra em posse de uma riqueza [m]aior que o seu nível de responsabilidade.

Economia é um estado de ser

[Ser] é Ser

[Ho]je nos encontramos diante de uma nova [rev]olução, uma revolução psicológica funda[me]ntada na ideia de que Ser e Ter são duas [face]s da mesma realidade. Tudo aquilo que [vem]os e tocamos, tudo aquilo que percebe[mos], tudo aquilo que nós chamamos Reali[dade] não é outra coisa senão a projeção de [um] mundo invisível aos nossos sentidos, do [mun]do das ideias e dos valores que corre ver[tical]mente ao plano da nossa existência: o [mun]do do Ser.

Faça de modo que a Escola seja acessível a qualquer um que tenha um sonho verdadeiro, sincero... O verdadeiro passaporte para a admissão é acreditar nele, com todas as forças.

Crie uma Escola baseada em princípios sem fim.

Crie uma Escola verdadeira, viva, que não seja livresca.

No centro do seu ensinamento haverá a Arte do Sonhar.

É preciso preparar seres decididos a conquistar a própria integridade, a libertar-se da dor, do medo, da angústia que cada um carrega dentro de si. Esta é a única esperança da humanidade.

Vejo milhares de estudantes. Eles serão os gigantes da Economia, os comunicadores globais do futuro. A sua capacidade de criar riqueza será somente o efeito de um estado interior de liberdade.

O ser humano já está preparado! A inteligência e o amor já estão no ser humano.

Os ensinamentos externos são somente um pretexto. O trabalho de uma Escola é a eliminação de cada compromisso, limite, preconceito, hipocrisia, medo e dúvida acumulados desde a infância e que são o fruto da velha educação, uma educação cuja única intenção é suprimir a coisa mais real que existe: o sonho. Uma verdadeira escola não pretende dar nada aos seus alunos... sabe que não pode juntar nada àquilo que já possuem no Ser.

É necessário apenas trazê-lo à luz. É um trabalho de eliminação de tudo o que é obstáculo para a inteligência. A verdadeira educação é recordar a própria unicidade, a própria originalidade, o sonho.

Economia é um modo de pensar.

A Economia de um país, o grau de bem-estar material atingido por ele é o reflexo do modo de pensar e de sentir daquela sociedade. O sistema dos valores, a qualid[ade do pensa]mento são a causa; a Econom[ia o efeito; a] qualidade cria a quantidade, [e não vice]-versa.

Interrompido o sonho, esvaz[ia-se a vida,] esvazia-se também a riqueza.

A Escola trará em suas raíz[es a riqueza] jamais expressa no mund[o externo.] *Visibilia ex Invisibilibus.* A [vida econô]mica é apenas o reflexo [exterior] de uma organização, de u[m sonho. A pros]peridade vem de dentro [para fora,] que como toda e qualque[r coisa vai do] interno ao externo.

Ter e Ser são uma única [coisa, em] planos diversos da existên[cia.]

Os países mais ricos em [recursos] são, mesmo assim, os ma[is pobres,] e o enriquecimento de u[m país é uma] condição suficiente para [o ter. O ter]no se não corresponde a [um ser]

A ESCOLA

Uma pessoa não preparada, ainda que temporariamente favorecida por um evento ou por circunstâncias externas, é lançada na antiga pobreza caso o Ter exceda o seu nível de Ser. Isso é verdade também para as nações. Depois de mais de meio século de insucesso dos programas de ajuda internacional aos países do terceiro mundo, os economistas do desenvolvimento deveriam, a essa altura, também haver entendido: não é possível ajudar de fora um país que não esteja já pronto no Ser, que não tenha já alcançado um adequado grau de riqueza na própria invisibilidade, no seu patrimônio de ideias (éticas, estéticas, religiosas, filosóficas, científicas) e no seu sistema de valores. A muitos desses países bastaria conectar-se novamente à própria e antiga sabedoria, à essência de suas origens, e reconduzir linfa ao sistema de valores mais antigos para elevar as suas condições de vida. Não é o Ter que permite Fazer e Ser, mas é o Ser que permite Fazer e depois Ter.

Toda conquista no visível, todo incremento da capacidade de Fazer e de Ter da humanidade sempre foi antecipado por uma conquista no Ser.

Os conhecimentos científicos e o progresso tecnológico seguem no tempo o conhecimento que o ser humano tem de si e o nível de consciência adquirido. Ciência e consciência caminham juntas, contemporaneamente.

Seja de um indivíduo, de uma organização, de uma nação ou de uma civilização, a capacidade de conhecer, de Fazer e de Ter depende do nível de Ser obtido por aquela civilização, nação, organização ou indivíduo. Quanto mais sabe, mais é, mais faz, mais tem. Fazer e Ter dependem do Ser, assim como a sombra, para a dimensão e a forma, depende do objeto que a projeta.

Se, extraordinariamente, conseguíssemos comprimir o tempo, os anos de vida de uma pessoa, ou os séculos de uma civilização, veríamos a perfeita correspondência entre Ser e Ter. Estes são a mesma, idêntica realidade em planos diferentes da existência.

O Ser materializado torna-se Ter e o Ter sublimado torna-se Ser.
Quanto mais ampla é a visão de uma pessoa, mais rica é a sua Economia. Isso vale para uma organização, um país, bem como para toda uma civilização.

Universidade significa *verso* o *uno*

Universidade significa verso (em direção a) o uno... No seu nome está ingênita a sua missão: levar adiante o trabalho de integração do ser humano, guiar a sua viagem em direção à unidade do Ser.
A universidade deve propor um sistema de ideias vitais capaz de interpretar o mundo, de revelar a real condição do ser humano e indicar a saída para uma sua possível evolução.

A universidade deve preparar as células de uma nova humanidade, indivíduos inspirados pelos princípios do sonho: indivíduos visionários, utópicos pragmáticos, indivíduos solares capazes de nutrir o sonho de uma economia global e de uma política de responsabilidade planetária.

O conhecimento verdadeiro já está em cada indivíduo.
Conhecer significa recordar...

A nova educação, a segunda educação, dista anos-luz da primeira educação, da tradicional. A sua tarefa não é agregar conceitos, mas recordar aos estudantes a unicidade, a originalidade, a inocência que eles já possuem.

Não se apoie em nenhuma instituição. Não pegue dinheiro, não peça subvenções de nenhuma espécie a nenhuma entidade ou instituição pública ou assistencial. O sistema tradicional universitário não é apenas obsoleto, mas também extremamente susceptível, delicado, frágil, porque depende.

Por isso você deverá abrir novos caminhos com o ânimo de um rebelde, de um revolucionário. A verdadeira educação é uma atividade subversiva aos olhos do *establishment*. Por isso você não poderá aceitar a autoridade da tradição e não poderá aderir a nenhuma das concepções educativas existentes.

A universidade que você fundará será uma tremenda revolução no mundo da educação, a ponto de fazer que velhas convicções e mentalidades desapareçam para sempre e com elas instituições e escolas obsoletas. Somente as que estiverem preparadas para uma mudança total, capazes de aceitar essa revolução, poderão sobreviver.

Cuide de sua integridade! Não permita que nada nem ninguém possa atacá-la. Permaneça intacto! O sucesso é uma natural consequência da integridade.

As batalhas do futuro não seriam vencidas empregando-se grandes navios, mas uma frota de ágeis embarcações.

Como as cidades gregas, que erguiam os seus muros até onde se podia ouvir a voz de um orador e eram contidas no raio daquela comunicação, assim os ateneus que você fundará deverão estar contidos em dimensões que permitam conhecer as aspirações, o sonho de todos aqueles que deles fizerem parte.

O nascimento da Escola
A missão da Escola

"Sonhei uma revolução.
Sonhei uma Escola que recorde
que o sonho é a coisa mais concreta
que existe.
Sonhei uma nova geração de líderes
capazes de harmonizar
os aparentes antagonismo de sempre:
Ética e Economia,

A ESCOLA

Ação e Contemplação,
Poder financeiro e Amor."

"O sonho fundamental da ESE, a sua missão, é criar uma geração de jovens líderes, células de uma nova humanidade. Para realizar este sonho não basta bons programas e bons professores. Milhares de instituições já oferecem essas coisas. A ESE é uma Escola do Ser. Precisamos nutrir os nossos alunos com a ideia da imortalidade, derrubando o preconceito de que a morte é invencível.
Até hoje todos os sistemas econômicos lidaram com sobrevivência, com as necessidades básicas das pessoas: alimento, abrigo, vestuário e reprodução. A economia das próximas décadas lida não mais com sobrevivência mas com imortalidade."

"A ideia da imortalidade deve ser inserida no âmago de uma Escola de Economia e sobretudo nos estudantes de Negócios... é a morte instântanea de uma mentalidade decrépita e o advento de um novo ser, o vagido de uma recém-nascida compreensão. Dirige uma nova luz às raízes e ao coração da humanidade inteira."

Visão e realidade é uma e a mesma coisa.
A Economia é um reflexo do Ser.
A Economia da Imortalidade.

"A própria ideia da imortalidade física é suficiente para erradicar convicções e credos anciãos."
A morte é um mau hábito!

"A ideia de que a morte é inevitável é tão poderosa porque ninguém jamais a questionou! Basta questionar a ideia da inevitabilidade da morte para mudar o destino financeiro de um indivíduo, uma organização, uma nação inteira."
"A crença de que a morte seja inevitável é a raiz de todas as nossas limitações, é o que

amarra a nossa criatividade! A ideia da imortalidade é o que precisamos para nos libertar das garras do tempo."

> Um homem íntegro, um líder visionário vive totalmente em um estado de Agora, livre da hipnótica noção do passado e do futuro.

"O mundo dos negócios precisa de uma nova geração de líderes, empreendedores visionários capazes de harmonizar aparentes antagonismos de sempre: Economia e Ética, Ação e Contemplação, Poder financeiro e Amor."

"Aquilo que chamamos de realidade é apenas o reflexo dos nossos sonhos, o espelho dos nossos estados de Ser. A mente do homem é conflituos, a sua lógica funciona por conceitos contrastantes, sua razão é armada. Por isso conhecemos somente uma economia de sobrevivência que acredita em limites. É isso que permitiu a morte se tornar a indústria líder do planeta; a arquitrave que sustenta a riqueza das nações. De manufatura de armamento até poluição ambiental, de produção farmacêutica até crime organizado; homens e nações estão a serviço de uma economia do desastre, a economia do conflito. A humanidade toda está na folha de pagamento da morte!"

"A verdadeira educação é liberdade de qualquer forma de hipnotismo, dependência, superstição. A verdadeira educação é o abandono dos seus conflitos interiores. Isso libertará o mundo de todos os opostos, libertará o mundo das contradições, violência e guerras. Eu me pergunto como é possível ser moral em um mundo de imoralidade, com todas as guerras e revoluções, os atentados e as centenas de focos de guerrilha, as perseguições raciais e o genocídio que enchem os jornais e os meios de comunicação a cada dia."

A ESCOLA

"Não tome minhas palavras pessoalmente, mas o que eu estou a ponto de dizer, você não vai gostar...

Mas, de qual guerra você está falando? Não há guerra acontecendo no mundo, somente aquela que você está projetando nesse exato momento. As condições no mundo correspondem exatamente ao seus estados interiores. Então não se preocupe com o mundo; preocupe-se com você mesmo. Essa é a única maneira que você pode ajudar!"

"Aparentemente em todo o mundo existem indústrias que neste instante estão produzindo armas capazes de devastar o planeta, de destruir a humanidade...

Nenhum poder fora de você pode destrui-lo. Fora de você nada pode acontecer sem o seu consentimento.

Vigie! Livre-se da ignorância, fuja da obscuridade. É a sua visão que precisa ser corrigida, não a humanidade. Condições no mundo correspondem exatamente aos seus estados interiores. Se você se integrar, se você se tornar uma unidade, o mundo inteiro está salvo. A única imoralidade que existe está dentro de você e não no mundo."

"Imoralidade significa autoesquecimento - fragmentação interior. Imoralidade significa autoprejuízo. Somente você mesmo pode ser imoral e se prejudicar esquecendo-se de quem você é. Quando você se lembrar, todos os problemas e dificuldades desaparecerão do planeta. O mundo é feito à sua imagem - ele reflete seu ser interior e obedece a todos os seus comandos, quaisquer que sejam. Quando você pára de sofrer, o mundo inteiro pára de ser imoral.

É possível mudar o nosso destino.

É necessário mudar a psicologia do ser humano, a descrição hipnótica do mundo radicada no seu sistema de convicções e de crenças."

"A Escola do Ser com a força de trazer uma revolução planetária na educação, derru-

A ESCOLA

bar os programas e métodos de ensino, é este o caminho científico no qual andamos e acreditamos.

A humanidade como está não pode ensinar os jovens a se libertar do pensamento conflituoso, nem dos preconceitos e ideias obsoletas, nem ensinar como derrubar uma cerca, sequer para cultivar em si uma indomável paixão por grandeza. Não são os recursos que estão limitados, mas o ser humano que projeta as suas próprias limitações e fronteiras para o mundo externo e faz com que sua própria propensão inconsciente para a escassez tome forma.

A riqueza de uma nação, o poder de sua economia e o nível de prosperidade que ela pode alcançar é igual à qualidade de seu sistema de valores e, acima de tudo, sua capacidade de produzir indivíduos altamente emocionais.

A vida de uma nação, o futuro de uma civilização inteira depende da existência desses homens e mulheres. Essas pessoas na cabeça das organizações do futuro, trarão inteligência, sucesso e longevidade aos empreendimentos corporativos do mundo."

"Não desanime se você ainda não obtiver sucesso ao aplicar a Arte do Sonhar. Você e eu, como filhos do tempo, ainda somos incapazes de entender a diferença entre sonhar e desejar. No desejar, você pode não perceber que está projetando na sua vida a experiência de querer, precisar, desejar, tentar e esperar, e que tal experiência revela no tempo o exato oposto daquilo que você deseja ou espera. O sonhar é uma experiência tão poderosa e criativa que basta alguns segundo de sua atemporal ação para criar tudo que você desejou durante anos e não conseguiu alcançar! Lembre-se! Somente sonhos podem ser verdade ... desejos, nunca.

Um indivíduo, uma organização, um país pode se desenvolver somente se esse indivíduo, organização ou país se ocupar em elevar a qualidade de seu povo.

Toda escola ou universidade, empresa ou empreendimento corporativo precisa se tornar uma Escola do Ser - uma Escola de Responsabilidade, somente então será possível enfrentar e vencer qualquer desafio na vida e expandir. Lembre-se, você pode possuir apenas aquilo pelo que se responsabiliza."

Acreditar sem acreditar

Somente aqueles que são forçados a enfrentar seu próprio horror e aguentar contemplar a sua impotência e incompletude poderão conseguir.

A memória cria destino... Destino cria memória... Enquanto você acreditar em suas lembranças e continuar internamente a contar, a si mesmo, a história imaginária de sua vida, você continuará projetando-a na sua frente, convencendo-se de que você tem um destino, que na realidade é apenas passado se repetindo. A memória e o destino, passado e futuro são ilusões. Renconheça-os como nada mais que projeções simultâneas deste momento, do Agora, e você será livre. No Agora não há derrota - apenas vitória.

Se você quer mudar algo em sua Vida, você precisa enfrentar a tarefa titânica de abandonar o seu sofrimento interno e perceber que você mesmo é a única causa de todos os seus problemas e dificuldades. Para fazer isso, você tem que isolar-se internamente e não permitir que os eventos externos o esmaguem: praticar a não-identificação e a auto-observação em todos os momentos e circunstâncias. Lembre-se! Seu papel na Vida, o que for, reflete perfeitamente as suas condições internas e revela impiedosamente o seu nível de entendimento. Se você perceber isso, sua responsabilidade e liberdade interna se expandirão e, junto, seu 'Poder de Fazer'.

O passado é uma mentira

Caso o sucesso acontecesse 'acidentalmente ou por acaso' em sua vida, como parece acontecer à maioria

A ESCOLA

das pessoas bem-sucedidas do mundo, então 'acidentalmente ou por acaso', você o veria, mais cedo ou mais tarde, desaparecer dolorosamente.

Pense como é desconfortável a posição de um ser humano que acidentalmente alcançou fama ou sucesso - em primeiro lugar, medo e incerteza o paralizariam diante de qualquer decisão - ele não saberia o que fazer em seguida - e ele não saberia como aumentar a sua fortuna, porém mais do que qualquer outra coisa, ele não saberia como manter, defender e não perder aquilo que ele acredita possuir maquinalmente.

Sucesso real é resultado de um longo trabalho interior focado, principalmente, na auto-observação e autopercepção - uma incessante luta contra autoprejuízo, imaginação negativa e emoções desagradáveis.

Sucesso real é a descoberta de um tesouro interno enterrado que é a Mãe de todas as vitórias: a Vontade.

O que aconteceu em Kuwait, quando você abandonou o seu posto, trocando um reino pela ilusória proteção de um emprego, está se repetindo. E hoje, mais uma vez, você está prestes a abandonar tudo o que lhe foi confiado para se salvar. A você foi dado muito, muito se esperava de você, no entanto você nada vez para merecer nem para ampliá-lo.

Agora circunstâncias e eventos de sua vida se reproduzem, idênticas até o mínimo detalhe, numa perversa perfeição, seguindo um padrão de uma imaginária recorrência; um destino circular que não existe, mas em que você acredita e do qual você não pode se livrar.

Aparentemente apenas o passado se repete. Na realidade não há passado aqui, nem na vida de um ser humano nem na história de uma civilização. O passado é uma mentira. Não há carma e não há vida passada, culpa, pecado ou castigo. Não há vida pós morte nem julgamento universal, inferno, paraíso. Existe apenas este instante - sagrado, infinito, onipotente. Use-o bem! Jamais haverá outra chance.

Fora do Agora somos impotentes, dependentes do tempo - limitados, vulneráveis, mortais.
O passado é uma mentira.
E tudo o que pertence à memória é ficção. Tudo que você acredita ter acontecido no passado jamais aconteceu realmente. Não há momento antes nem depois. Tudo acontece Agora porque nada está fora do Agora. Agora é o atemporal começo e infinito fim de cada ciclo, desde o átomo até Deus.

Estado é lugar

Agora você é o ladrão do seu próprio eu. Você está roubando-se de dentro. Nos negócios ou no amor, os seus associados e parceiros sempre serão o perfeito reflexo da sua condição, os seus estados de ser. Um ser humano pode possuir apenas o que ele é, e pode escolher e ser escolhido apenas pelo que ele merece!
O pior parceiro no mundo jamais seria capaz de enganar ou roubar você com maior preci-

são do que você está enganando e roubando a si mesmo.

Um ser humano íntegro não acredita em loterias e não joga - jamais!

Quem compra um bilhete, quem aposta, já abdicou do poder dentro de si de ganhar esse dinheiro, de atrair essa fortuna.

A crença em eventos externos significa trocar a vitória certa por definitivo fracasso. Quem compra um bilhete de loteria está caçando o infortúnio; da mesma maneira, quem joga ou participa do mercado de ações se sujeita às mesmas leis. Quem, trabalhando em sua integridade, construiu dentro de si o poder de ter esse dinheiro, não precisa ganhá-lo fora de si... Essa força adquirida dentro criará poder fianceiro.

Se você não tem responsabilidade e joga, só pode ganhar acidentalmente - comprar um bilhete de loteria para compensar uma aparente falta de sorte é o ato de um ser humano fraco que não tem a responsabilidade interna para sustentar riqueza. Você não pode merecer se tornar rico de um dia para outro. Ao jogar, - ao se entregar ao acaso, você revela sua falta de generosidade... de responsabilidade... e de amor.

Pessoas como você, um dia, trairão e roubarão de si mesmas acreditando que podem roubar do mundo do Dreamer, e você é uma dessas pessoas... a pior!
Podemos ter apenas aquilo pelo que nos responsabilizamos. O verdadeiro ter corresponde exatamente ao nosso ser. Poder financeiro apenas é uma consequência, a visível representação da consciência da prosperidade. Aquilo que externamente corresponde ao investimento interno, psicologicamente, se chama Comprometimento.

Estado é Lugar. Um ser humano ocupa um espaço físico correspondente ao seu Ser. O lugar onde está, o ambiente ao seu redor, as pessoas que encontra - tudo demonstra uma notável correspondência com os seus estados de Ser, a qualidade das suas emoções, dos seus pensamentos.

O que você vê aqui é a multidão, a legião que você carrega dentro. Eles são seu Ser tornado visível, a representação física de sua condição. A Escola que lhe confiei não está se tornando nada diferente deste lugar de indolência e fastídio. Mude, senão isso se reproduzirá aonde você for, porque não está fora de você. Livre-se da podridão interna e você verá o mundo partir flutuando como pó que se assopra. O mundo que você vê e toca é produto do seu sonho. Os seus pensamentos e as suas emoções, crenças e ações, história e destino, os eventos e as pessoas ao seu redor são todos produzidos e moldados por seu Ser interior. Se você indulge em estados negativos, como medo e dúvida, será derrotado pelo mesmo mundo que você sonha e projeta.

Faça uma varredura de limpeza. Você pode cancelar esta degradação agora mesmo, nesse instante. Você só pode fazer isso Agora, um segundo antes, seria um mundo completamente diferente desse, e totalmente esquecido um segundo depois.

Todas as ideologias existentes de esquerda e de direita estão ultrapassadas e obsoletas.

Poderosas forças vindas do indivíduo e não das massas estão firmemente reescrevendo os fundamentos da vida. Você como indivíduo é convocado a criar por meio da sua integridade uma nova humanidade, e a redesenhar uma nova economia dentro de você; projetar uma nova era e lembrar um novo destino.

Seja um Rei, e um Reino seguirá

A Escola já aconteceu
Nada há que você possa fazer, nada a acrescentar, a não ser obedecer o desenho ditado pelo Sonho!

A universidade é somente um fragmento do Sonho. Para você, para todos que fazem parte, sua realização não é o objetivo final, mas um instrumento para a mudança, um guia, um caminho em direção a uma visão superior de existência.

Eu coloquei você no timão da Escola, no comando de uma nave espacial capaz de viajar à velocidade dos sonhos, mas a sua indisposição para entender está transformando a Escola em algo que não pertence a Mim. Eu não posso permitir isso.

Nosso Ser é o verdadeiro Criador de tudo que acontece para nós. Eleve seu nível de responsabilidade interna, renove a sua promessa, e verá que até a economia e os negócios obedecerão às leis do Ser. Esta é a solução! Não culpe o mundo, circunstâncias e outras pessoas, procurando a falha fora de você; recupere o território perdido e reúna os fragmentos da sua integridade perdida. Esta é a solução. Integridade é um estado do Ser, um senso de certeza, de completude, de vitalidade e ausência do medo. Você o sente no seu corpo inteiro, no seu coração e em cada respiração. Governos e nações, organizações e empreendimentos guiados pela integridade são prósperos, e eles têm vidas longas e felizes.

Seja um Rei, e o Reino lhe será dado

A Realeza do Ser sempre precede o nascimento de um reino. Ser vem antes do ter, nunca vice versa. Jamais deseje que um reino apareça antes da realeza - o peso dessa responsabilidade seria devastador.

Quando você estiver diante de qualquer coisa que lhe possa parecer impossível enfrentar, algo insuperável, recorde-se de Mim! das minhas palavras, dos princípios do sonho. Todos os aparentes obstáculos e limitações possuem raízes no nosso ser e em nenhum outro lugar. Quando você percebe isso, eles desaparecem! Não se preocupe com a falta de dinheiro. Dinheiro é um estado de ser. Dinheiro manifesta no tempo o que você conquistou por meio da responsabilidade interna e vitória criativa. Da mesma maneira, qualquer falha no seu Ser o torna mais fraco e pobre. Qualquer rachadura no seu sonho abala os fundamentos do seu poder financeiro. Dinheiro, assim como o amor, é uma questão interna. Observe-se, e não saia desse momento. Tudo já está feito. Existe apenas um obstáculo: e é você.

O banco

Seu comprometimento procurará todos os recursos dos quais você precisa. Comprometimento é investimento... Comprometimento é riqueza... Coloque todas as suas fichas ali! Aposte tudo nisso! Não deixe um só átomo fora da totalidade do seu Ser... Invista tudo que você tem, e tudo que você não tem, em você mesmo e no seu sonho, e o mundo inteiro apostará em você.

Quando você se deparar com um problema financeiro... não se desencoraje... Aquiete-se... Endireite a coluna... Respire profundamente... Dirija toda a sua atenção ao seu Ser Interior... Assuma o comando da hesitação, da agitação e em seguida afirme com determinação e certeza inabalável o que você mais quer alcançar. Isto dará infinitos recursos aos seus negócios e perfeita ordem e justiça à sua vida. Focalize toda a sua atenção em seu ser, e perceba suas mortes internas, que são a própria causa de todos os seus infortúnios... e vença! Você verá ajuda e prodigiosos recurso virem abundantemente e pontualmente com cada pedido seu.

> Em quietude, secretamente
> e silenciosamente,
> a vitória se revela.

Dinheiro não é real. É apenas uma sombra fugaz do seu espaço interno, uma pálida manifestação de sua responsabilidade interna. Torna visível, no tempo, tudo o que o ser humano conquistou em seu Ser, por meio do seu comprometimento, sua responsabilidade e as vitórias sobre si mesmo que obteve. Da mesma maneira, a menor rachadura no sonho pode abalar as bases de um império financeiro.

Vá ao banco e peça aquilo que você precisa. Do outro lado da mesa encontrará a Mim!

Conte a eles sobre o Sonho: que eles transformarão a Escola em uma das mais importantes instituições do mundo - o banco sabe.

Os obstáculos que você encontrará fora são os limites que você encontra dentro.

Reconheça-se o criador da sua própria realidade, e seu sonho se tornará realidade.

Invista tudo o que tem e tudo o que ainda não tem, renuncie ao jogo do acaso, e volte à realidade, que é a Minha Vontade.

Aposte na coisa mais real que você possui
- o Sonho.

Quando você esquece os princípios do Sonho, só lhe resta desistir e desaparecer da Minha visão e, junto, tudo que acredita ter realizado. Volte ao estado de integridade!

O banqueiro que você está para encontrar sou Eu. Eu enviarei você, Eu receberei você e Eu escutarei você. Se Me agradar, agradará também ao banco. Se você se recordar da Minha presença, das Minhas palavras, ele lhe dirá sim.

Dinheiro não é real

Está na hora de trazer a Escola para a Itália. Ali você enfrentará o mais taciturno e impiedoso Antagonista que você poderia esperar. Com a sua ajuda indispensável, você terá a maior chance de confrontar as suas limitações e conquistar você mesmo.

O impossível é o possível visto de baixo.

Mire mais alto! Eleve seu Ser! Você entenderá que a Arte de Sonhar, a Arte de Acreditar e Criar, é a capacidade de transformar o impossível em possível, e finalmente no inevitável.

Esta é a primeira condição para voltar à sua integridade.

Você não precisa de dinheiro para adquirir essa propriedade. Você precisa de comprometimento - uma promessa interna. Seu comprometimento deve ser total. A sua responsabilidade e integridade interior determinam a extensão dos seus recursos financeiros e produzem todos os recursos necessários. Dinheiro não é real. O real é a dedicação de um ser humano e a força das suas convicções... eles se alinham e assumem as proporções do seu sonho.

Todas as coisas são possíveis àquele que é íntegro.

Se você aposta em si mesmo e nas suas ideias, o mundo inteiro apostará em você.

Comprometimento a suas ideias deve ser total.

A qualidade e o sucesso de sua vida depende de seu nível de comprometimento.

A ESCOLA

A Arte de Sonhar, a Arte de Acreditar e Criar, é um estado de liberdade, de certeza, de total ausência de dúvida. Comprometimento interno é investimento, o único dinheiro real. É o seu comprometimento que faz as coisas acontecerem! É o seu comprometimento que atrai todas as oportunidades e os recursos necessários. O sucesso das suas ações no mundo externo é somente o reflexo do seu comprometimento interno.

Jejuar na véspera da batalha

Você pode plenificar o seu corpo com juventude e saúde sempre que quiser. Pelo jejum você permite que o sangue faça o seu trabalho de limpar o corpo inteiro. Jejuar é um descanso psicológico do seu corpo. Lembre-se! Qualquer técnica ou disciplina que use, só é um meio, não o objetivo. O objetivo é o descanso, e não força. O objetivo não é dor, mas libertação da dor. Política, por meio do interminável falar, é um método de purificação. Sexo, filmes e TV são métodos de purificação. Trabalho físico e todo tipo de esporte são técnicas de purificação. Casamento é outra prática para a purificação, seja bem-sucedido ou não.

Jejum era usado nos tempos antigos à véspera de um importante empreendimento ou para evitar desastres iminentes. Pitágoras, Sócrates, Platão e Lupelius jejuaram.
Tudo que você faz é mecânico. Se você colocar atenção em um único ato sequer, comumente realizado de forma mecânica, você dobrará os seus benefícios.

Tudo que for intencional, consciente ou vindo da sua vontade o leva mais alto do que jamais pensou que pudesse ir. Jejuar junto com respiração intencional fará emergir todo o lixo psicológico, dissolver emoções negativas e pode curar as causas da doença mais rápido do que o acúmulo delas. Comer ou jejuar, caminhar ou rir intencionalmente, são eficientes maneiras de multiplicar os benefícios de uma atenção interna. Tudo o que acontece sem a sua intenção consciente, não deveria ser resistido nem negado, mas aceito, estudado e dominado.

Crer para Ver é a inexorável lei dos reis, é a lei do Criador... Ter fé e crer pertence à Arte do Sonhar e são qualidades inatas do Dreamer. Um ser humano dá um passo no abismo e tem de acreditar, sem um átomo de dúvida, que o solo se erguerá sob seus pés, dando razão a esse movimento ousado - à sua luminosa insanidade.
A certeza só pode ser encontrada dentro de si.
O senso de segurança é uma vitória interna que não pode advir de nada nem ninguém lá fora, somente de você mesmo.

O leilão

Poucos átomos de vaidade são suficientes para permitir a dúvida e o medo dominar os pensamentos. A falta de responsabilidade aumenta os problemas e os faz parecer enormes. A dor inconfundível que sempre governa a sua vida o faz passar do medo de perder, ao medo de ganhar, sem alterar o seu sabor agridoce, a sua aflição.

Você pode pensar que o medo é uma reação natural a algo que ameaça você de fora. Na realidade, é o seu medo que é a fonte e a própria causa do que você tem medo.

Aqui não há tempo nem morte. No meu mundo não há espaço para dar meia volta, acusar ou lamentar. Aqui, próximo do Dreamer, não há espaço para indulgir em nenhuma fraqueza, dúvida ou medo.

Você está aqui por uma única razão - vencer a morte. Eu sou a ameaça letal a tudo em você que decidiu morrer, e tudo em você que vive da morte.

Nada mais importa!

Retome-se, ou você será eliminado! Volte à

totalidade do Ser, volte à unicidade, somente assim será invulnerável. Não hesite por um segundo sequer, porque o resultado dessa batalha, derrota ou vitória, depende totalmente de você.

Os lupelianos não batalhavam por supremacia, controle ou poder sobre os outros. Lupelius convocava os seus monges-guerreiros para lutar não pelos pobres, pelos necessitados, ou os oprimidos, mas como um teste de resistência para expressar na batalha as suas conquistas interiores como verdadeiros conquistadores da morte.

A disciplina lupeliana não preparava pessoas para dar suas vidas e se tornarem mártires ou heróis em nome de alguma ideologia ou fé, mas pelo único propósito de abrir um portal para a imortalidade, primeiro nos seus corações, e, consequentemente, em seus corpos físicos. Tudo acontrece para a sua vitória final...

Até aqueles que parecem estar contra você desempenham um papel proposital na realização do Sonho e são uma oportunidade muito singificante para o seu crescimento e entendimento.

Não existe Antagonista, inimigo ou demônio fora de você. Desenterre o inimigo nos recessos mais recônditos do seu Ser, e conquiste-o. Não há milhares de inimigos, há apenas um, e também existe apenas uma vitória: a vitória sobre a morte.

Aqueles homens vinham, ou foram enviados, para comprar somente o que é visível. Eles ficaram hipnotizados pelo dinheiro, pelo valor da propriedade, a ganância de possuí-la. Desejo é tempo, e tudo que pertence ao tempo é falso. Nada pode ser possuído no tempo, nem existe solução ou remédio. Você só pode entender isso quando o Agora, o tempo verdadeiro, governar você.

Você, quando substituir o sonho por ganância e desejo, você se torna um deles, e terá que sofrer o mesmo destino como todos que tentaram possuí-la sem ter responsabilidade por ela. Uma derrocada financeira é sempre precedida por uma falha no Ser.

> Um ser humano só possui aquilo
> pelo que ele se responsabiliza.
> Conecte-se ao sonho.
> O sonho é a ausência do tempo,
> é a ausência da morte.

Você não está aqui para satisfazer algum desejo seu, ou a sua possessividade, ou para adquirir um novo local para a Escola. Você está aqui para vencer a mais pavorosa de todas as superstições humanas, a mentira mais profundamente arraigada.
Você está aqui para desviar o seu destino infelxível, mudar o impossível: o imutável você!
Aqui está a ocasião para você conquistar tempo e afirmar a sua vitória sobre as mortes internas que são o prelúdio e a única causa da morte física.

Você está aqui para o único propósito de abrir um portal para a vida sem morte, para a eternidade.

Quando você parar de morrer dentro, não haverá mais tempo fora de você.

Um tempo que impõe uma cadência na sua vida, faz você envelhecer, adoecer e morrer.

Quando você parar de morrer dentro, a verdadeira vida o arrebatará e ocupará todos os átomos de seu Ser.

Não existem milhares de problemas para resolver, mas somente você!

A verdadeira vitória, a solução, é uma volta a você mesmo! Volta para ser íntegro, completo, único...

Um guerreiro não pode permitir-se perder nem um único átomo da sua integridade... ele só pode ser completo!

Ame-se dentro, com toda a sua força, e tudo no mundo será perfeito.

A ESCOLA

Tudo, eu digo: tudo, inclusive o passado, tomará a sua aparência e será criado à sua imagem.

Seja muito cuidadoso!

Você pediu para estar mais próximo do Dreamer, e isto não mais lhe permite fazer o que você costumava fazer, nem mesmo pensar ou sentir o que você costumava pensar e sentir. Viver perto do Dreamer é para poucos somente e é muito arriscado. Viver perto do Dreamer é a mais difícil tarefa que você poderia empreender.

Aqui, se você se esquecer, será instantaneamente catapultado para o seu passado infernal, e estará perdido.

Aqui, perto do Dreamer, não há espaço para você indulgir em qualquer fraqueza, lamento, dúvida ou medo.

Aqui, você deve ser forte.

Aqui, perto do Dreamer, você só pode ser puro e inteiro.

O Dreamer em você fala com você o tempo todo, tenha consciência disso!

Lembre-se da Sua voz e das Suas instruções.
Preste atenção a Suas lições, seja fiel aos Seus princípios, obediente aos Seus comandos, torne a sua Vida uma expressão da Sua inteligência e do Seu amor.
O Sonho é a coisa mais real que existe.
Sua ação atemporal criará tudo que você desejou durante anos e fracassou em alcançar.

    Sonhe, sonhe, sonhe sem parar.
        A realidade seguirá.

Este livro foi composto
na tipologia *Minion pro 11p* e *Rotis Sans Serif 12p*
e impresso em papel *Polen* 70g/m²
para a Barany Editora